IRVIN L. YOUNG MEMORIAL LIBRARY
WHITEWATER, WISCONSIN

OCT   2015

3 3488 00274 0833

Problema *Sustantivo (plural* **problemas***)* **1** *en problemas – Cuando te va a caer una buena por algo que has hecho. Si estás en clase con la señorita Olga, posiblemente te veas en problemas tanto si haces algo como si no.* **2** *problemas o dificultades: Tuve problemas para conseguir que el pelmazo de mi hermano Manu Chinche saliera de la habitación y me dejara ver tranquila el episodio de Lara Guevara, sin tenerlo a mi lado molestando.* **3** *causa de preocupación o ansiedad: ¿Cuál es el problema? Seguramente la señorita Olga.* **4** *enfermedad o problema con la salud de uno: Tengo problemas con el oído, porque Vanesa García ha gritado tan fuerte que me ha dejado medio sorda.* **5** *situación de caos, desorden o avería: Salgo un momento al cuarto de baño y empiezan los problemas en la clase.* **6** *especialistas en problemas, en buscarlos o en solucionarlos: Ana Tarambana pertenecería al primer grupo. Lara Guevara estaría en el segundo.*

D1057717

Ana Tarambana

Líos
de ortografía

L a u r e n   C h i l d

SerreS

Título original: *Clarice Bean spells trouble*
Publicado por acuerdo con Orchard Books Australia

© del texto, 2004, Lauren Child
© de la traducción, 2007, Esteban Morán
© de esta edición: 2007, RBA Libros, S.A.
Santa Perpètua, 12 - 08012 Barcelona
rba-libros@rba.es / www.rbalibros.com

Segunda edición: abril 2008
Realización editorial: Bonalletra Alcompás, S.L.

Los derechos de traducción y reproducción están reservados en todos los países.
Queda prohibida cualquier reproducción, completa o parcial, de esta obra.
Cualquier copia o reproducción mediante el procedimiento que sea constituye
un delito sujeto a penas previstas por la ley de la Propiedad Intelectual.

Ref.: ONFI000 / ISBN: 978-84-9867-221-3
Depósito legal: B-8.391-2008
Composición: Manuel Rodríguez
Impreso por Novagràfik (Barcelona)

Son cosas que no tienen explicación, como: ¿Por qué, en español, la palabra "yo" se escribe con "y griega"?

Tal vez os preguntéis por qué hice lo que hice. Pero si estuvierais en mi lugar, seguro que comprenderíais que a veces no sé por qué hago las cosas.

Es difícil de explicar.

De pronto siento un impulso de hacer una cosa y la hago. Y antes de que me dé cuenta, ya me he metido en problemas.

Mamá siempre me dice que antes de abrir la boca tendría que pensar lo que voy a decir y entonces todo sería mucho más fácil.

Seguramente tiene razón.

Pero mi cerebro es muy duro de mollera y no es capaz de asimilar las cosas tan rápidamente como yo.

Otra cosa que no acabo de comprender es:
¿Por qué, en español, la palabra "yo" se escribe
con "y griega"? ¿Por qué hay que escribir "soy" y
"estoy" y no "soi" y "estoi"? ¿Ortografía?
Me gustaría saber para qué sirve y por qué tiene que
ser tan difícil. Quienquiera que la inventase, tiene que
tratarse de una persona muy retorcida.
Todo empezó con esa fijación que le entró a la señorita
Olga por organizar un concurso de ortografía, para ver
quién es el mejor en clase deletreando palabras.
A mí eso de deletrear palabras no se me da demasiado
bien. Normalmente ocupo mi cerebro en otras cosas y
no en recordar la forma correcta de escribir las palabras.
No tengo la culpa. De veras, no es culpa mía.
Fíjate en la cantidad de otras cosas que también puedes
querer recordar en tu vida. Como aquel chiste de una
vaca al teléfono que me contó mi hermano Gus.
O aquella vez que fuimos de excursión al campo y
llovió a cántaros y todos nos pusimos hechos una sopa,
calados hasta los huesos.
Así que deletrear bien las palabras no me parece tan
importante. Al menos, si lo comparo con otras cosas
que sí son verdaderamente importantes.

En fin. Lo que quiero decir es que, de cualquier manera, la ortografía es una auténtica fuente de problemas.

✺ ✺ ✺

Por ejemplo, aquello que la gente dice que hice, aquel problema tan gordo en que me metí, fue en gran parte por culpa de la ortografía.
Carlitos Terremoto es bueno deletreando palabras y siempre se está metiendo en problemas.
Carlitos Terremoto está en la misma clase que yo.
Seguro que habéis oído hablar de él, casi todo el mundo lo conoce. Siempre está haciendo trastadas, pero no creo que sea culpa suya en el fondo. Tiene esa especie de pulsión dentro, que no puede controlar.
Y a veces permite que las cosas sucedan, a sabiendas.
Me gusta Carlitos Terremoto. Al principio no me caía bien, pero luego lo fui conociendo y empezó a resultarme simpático.
Claro que es el mayor gamberro del colegio y el problema de ser amiga de un gamberro es que todo el mundo piensa que tú también lo eres.
Entonces, ¿para qué intentar portarse bien?
Es algo que he averiguado por mí misma en casa.

Mi hermano pequeño Manu tiene la capacidad de aprender de mis errores y evitarse problemas. Pero esto funciona sólo porque yo me meto en problemas.

Me siento como si me estuviera volviendo como Carlitos Terremoto. Es que en estos días no paro de tener problemas. Y no es justo.

Lo que pasa es que Manu Chinche siempre empieza gritando algo así como:

"¡Mamá, Ana me ha pellizcado y me ha hecho daño!".

Y, por supuesto, no es verdad.

Y si lo fuera, sería por una buena razón.

Y Mamá dice: "Estoy demasiado ocupada y tengo un dolor de cabeza horroroso, para tener que aguantar encima a dos niños maleducados. Os vais a discutir a otra parte, o me hacéis el favor de estaros quietos y calladitos, cada uno a lo suyo".

No siempre es así, sólo cuando decide que "¡Ya estoy harta!".

Y últimamente lo está bastante.

Papá es diferente. Él siempre quiere arreglar las cosas. Se le da bien, es su pasatiempo y además es lo que tiene que hacer cada día en el trabajo.

Papá no regaña. Qué va.

Dice: "Podéis estar de acuerdo o no, podéis discutir.
Pero también podéis cambiar de tema".

Lo que hace Papá es avisarnos de que no está dispuesto
a tener a su lado dos voces gritonas volviéndole loco
hasta hacerlo explotar.

Quien sí se enfada con frecuencia es mi hermana
mayor, Marga. Casi siempre está de mal humor. Y
cuando no está de mal humor, se pasa la mayor parte
del tiempo encerrada en el cuarto de baño hablando por
teléfono.

Gus es el mayor de todos los hermanos y normalmente
está en su habitación sin hablar con nadie.

Si todavía no comprendéis por qué a una persona como
yo le resulta difícil evitar los problemas, tendríais que
tener a la señorita Olga como profesora.

Vamos, que si estás en la clase de la señorita Olga y te
llamas Ana Tarambana, tienes todas las papeletas.

Os puedo asegurar que nadie ha tenido más problemas
de los que yo tuve el año pasado en la clase de la
señorita Olga.

¿Quién decide qué es y qué no es importante?

Le tengo manía a los martes, porque es el día en que nos hacen pruebas de evaluación para ver lo listos que somos cada uno de nosotros. ¿Cómo creen que pueden medir la inteligencia con una estúpida prueba?

Es el problema con los colegios. Sólo te hacen pruebas para una sola cosa, por ejemplo, Matemáticas o preguntas de Ortografía o poner acentos, comas y todos esos asquerosos signos de puntuación.

Y no se les ocurre que te puedes saber de memoria todos los episodios de la serie de Lara Guevara.

Y que puedes explicarles cómo Lara fue capaz de saltar desde un helicóptero en pleno vuelo sin torcerse un tobillo.

Cosa bastante difícil, por cierto.

A lo mejor sabes arreglar de forma rápida
y eficaz el dobladillo de la falda
con una simple grapadora.
O sabes dibujar un perro con
un bolígrafo sin
mover la cabeza para
ver el papel.
O enseñas a tu perro a dibujar
con un bolígrafo mientras
te mira...
Pero no te hacen pruebas para
aquello que la gente encargada
de las pruebas cree que no es importante.
¿No es más interesante alguien que salta desde
un helicóptero en pleno vuelo sin torcerse
un tobillo, que alguien que sabe deletrear
"otorrinolaringólogo"?
Me gustaría conocer a alguien capaz de limpiar las
manchas verdes de rotulador sobre una alfombra
blanca. Mi amiga Alba me dice que ponga encima
una silla para que no se noten. Hasta que pueda
encontrar una solución, espero que a Mamá no se
le ocurra cambiar de sitio las sillas.

Perro dibujado

En cualquier caso, las pruebas de evaluación se me atragantan. Hay gente como Vanesa García, por ejemplo, que te responde como una máquina cuando le preguntas cuánto es 3,3 dividido por 2,4, mientras que para mí calcularlo es un dolor de cabeza.

En fin, aquí estamos haciendo una de esas pruebas estúpidas y el aula está en un silencio absoluto y se puede escuchar el tic-tac del reloj, que parece que va muy lento, pero curiosamente cada minuto levanto la cabeza y compruebo que ya es diez minutos más tarde y el tiempo se acaba.

Y detrás de mí siento resoplar a Roberto el Copiota. Está detrás de mí y resopla, cosa que me pone nerviosísima.

Así que me vuelvo y le digo: "¿Quieres dejar de resoplarme en la oreja, por favor?"

Y él me contesta: "Ana Tarambana, por supuesto que no puedo dejar de respirar porque me asfixiaría. Así que siento si te molesta, pero te aguantas".

Decido no replicarle, porque Mamá me ha dicho que si no tienes nada agradable que decir es mejor no decir nada. Como se puede comprobar intento

estar calladita en clase y no decir una palabra,
cuando escucho a Vanesa García decirle a Ester
Moreno que tengo encefalograma plano, porque
he escrito "foto" con "l" y no con "t", porque se
me ha olvidado el palito de la "t".

Y la señorita Olga ni siquiera le ha dicho que se
calle. Sin embargo ha dicho: "Ana Tarambana, tu
ortografía deja mucho que desear".

Y luego, cuando el tiempo se ha acabado, entrego
mi ejercicio a la señorita Olga y me dice:

"Pero chica, ¡una araña ha metido las patas en un tintero y luego se ha estado paseando por tu hoja de papel!"

Me gustaría que alguien la
sumergiera a ella en un tintero.
Y luego dice: "Tengo una noticia
fantástica: por fin he conseguido arreglar
las cosas para que todo el colegio
participe en un concurso-colmena
de ortografía".

En realidad no es más que otra manera de referirse a una prueba de ortografía, sólo que tienes que estar ahí de pie delante de todo el colegio deletreando las palabras de viva voz, sin poderlas escribir en un papel. A la señorita Olga, un concurso-colmena✳ de ortografía es lo que más ilusión le puede hacer en el mundo.

En cambio, para mí, es una buena razón para decirle a la señorita Marcia, la secretaria del colegio, que me ha entrado una terrible descomposición intestinal y necesito irme a casa urgentemente. Vamos, que ni se moleste en avisar a mi madre.

Así que he estado dándome una vuelta por ahí. ¿Quién decide qué es lo importante? Ojalá fuera yo.

✳ ✳ ✳

En el recreo, Carlitos Terremoto estaba lanzando bombas de agua a Pepe Guasón. Sin querer, ha salpicado a Vanesa García y ella ha ido corriendo a chivarse.

✳ **colmena** significa que todo el mundo trabaja en lo mismo al mismo tiempo, como las abejas de una colmena produciendo miel todas juntas.

Se ha enfadado porque le ha mojado el impermeable... ¡Pero si los impermeables son para eso!

Así es Vanesa García.

Me cae fatal, porque es una sabelotodo y una cotilla y le encanta chivarse. Siempre procuro evitarla, porque no quiero una bronca con la señorita Olga. El caso es que la señorita Olga siempre cree a Vanesa y no a mí.

Incluso después de clase, cuando vamos a buscar los abrigos al perchero para irnos, Carlitos me cuenta un chiste de un cerdo que iba a cruzar la calle, pero cuando va a contarme el final, que es donde está la parte graciosa, llega la señorita Olga y dice: "Venga, desapareced de aquí vosotros dos, antes de que hagáis alguna trastada".

Y es que Carlitos tiene problemas incluso cuando se porta bien. Es uno de los efectos secundarios de haberte portado mal con anterioridad.

Yo digo: "Pero, señorita Olga, si sólo íbamos a buscar los abrigos".

Y ella dice: "Nada de contestar. ¡Andando!"

Y yo contesto: "Perdón por respirar". Pero lo digo muy bajito.

✳ ✳ ✳

Llego a casa muy desinflada. Hasta mi hermano Gus me dice: "Pero chica, ¿qué te pasa?".
Y no es normal, nunca nota cuando otra persona está deprimida. Está demasiado ocupado sintiendo pena de sí mismo.
Cuando le pregunto a Mamá la razón por la que Gus está hoy tan animado, me dice: "Está contento, porque ha encontrado un trabajo para los fines de semana en El Cogollo".
El Cogollo es la tienda vegetariana del pueblo.

Gus se ha vuelto vegetariano, así que estará encantado de estar rodeado de plantas y hierbas todo el día.
Lo único que me tiene animada es que esta noche ponen la serie de Lara Guevara en la tele. Me chiflan los libros de Lara Guevara y todavía estoy esperando a que la autora Patricia F. Montes publique el próximo. He leído toda la colección al menos tres veces.

Afortunadamente, por si no os habíais enterado, ahora ponen dos capítulos de la serie de televisión cada semana. Y hay muchos, muchísimos capítulos. En realidad no se trata de una serie nueva. Mamá dice que es de su época y que los capítulos son de hace años. Esta es la razón de que la moda a veces parezca pasada de moda.

Los están volviendo a poner porque Patricia F. Montes ha vuelto a escribir libros otra vez y estoy segura de que tendrán tanto éxito como siempre. No sabía nada de esto hasta que me lo ha dicho Alba Blanco, después de leerlo en la página web de Lara Guevara.

Los nuevos libros serán algo diferentes y, supongo, tendrán un aire más actual.

Alba me dijo: "¿Sabías que Patricia F. Montes empezó a escribir los libros de Lara Guevara hace la torta de tiempo, allá por el año 1972?". Es decir, mucho antes de que naciera la mayor parte de la gente que conozco.

Lo mejor de todo es que van a hacer una película
de Lara Guevara. Una película hecha en

HOLLYWOOD

Ahora Lara tiene ya trece años y sigue teniendo a
su mayordomo, Pérez, que sabe que ella trabaja en
secreto como agente secreto. Pérez es muy amable
y guapo. A mi mamá le encanta.

El mejor amigo de Lara es Rubén Ríos, un chico
muy inteligente y también muy divertido. Juntos,
pasean en bici.

Alba y yo nos sabemos todas las frases de Lara
Guevara de memoria. Dice cosas como "Para el
carro, colega" y "¿De veras tienes cerebro?".

Si conoces el personaje, te preguntarás qué pasará
con todos los trucos de alta tecnología que usa
Lara Guevara. Supongo que en Hollywood sabrán
resolverlo a base de efectos especiales.

Porque, a ver cómo simulas un comunicador de
radio en un reloj de pulsera.

Y patines automáticos especiales que saben qué

dirección tomar cuando dices "Seguid a ese coche".
Y un helicóptero color púrpura que por dentro es
más grande que por fuera.

La chica que interprete a Lara en la película será
otra diferente de la que sale en la serie, porque la
actriz protagonista de los capítulos de televisión
ahora tiene por lo menos cuarenta años. Se llama
Teresa Smith y es estupenda, aunque la sacan rubia
cuando se supone que Lara Guevara tiene el pelo
castaño.

Apuesto a que Teresa Smith nunca ha tenido
que preocuparse por ser una abejita con buena
ortografía.

Estoy acostada en la cama pensando en todas
estas cosas, mientras contemplo el póster que me
regaló Papá. Es de un hipopótamo y tiene escrita
la palabra HIPOPÓTAMO. Todas las noches
cuando la leo se me ocurre que es una palabra rara
"hipopótamo", porque empieza con una H
absurda, que no aparece cuando la pronuncias en
voz alta. La letra H no tiene ningún sentido. Es más

lógico escribir "ipopótamo" sin la **H**, así como suena. Me quedo dormida y sueño que un hipopótamo entra en el colegio y se come a la señorita Olga. Y se queda como profesor y resulta que sabe un montón de matemáticas. La de cosas raras que se nos ocurren cuando pensamos que no estamos pensando en nada.

¿De **dónde** sale eso que llaman **talento natural** y por qué unas personas lo tienen **más** que **otras?**

Me despierto soñando todavía con Lara Guevara y su película y lo estupenda que va a ser. Y en cómo me gustaría ser una estrella, para no tener que participar en el dichoso concurso-colmena de ortografía. Fantaseo pensando en que cuando tengamos la función de teatro, dentro de poco ya, me descubrirá uno de esos buscadores de niños prodigio. Por si no lo sabéis, en mi colegio todos los años hay una función de teatro y es un gran acontecimiento, al que asiste todo el mundo. Este año mi clase es la encargada de montar la obra, así que es una estupenda ocasión para que me descubran.

Creo que soy buena actriz. Me gusta actuar y creo que podría dedicarme al cine, pero preferiría poner una tienda de pasteles.

Pienso en todo esto mientras me dirijo al colegio, pero una vez allí se desvanecen todas mis fantasías y empieza el aburrimiento, cuando la señorita Olga dice: "Ya tengo la fecha para el concurso de ortografía. Será el último martes del trimestre, así que ¡sólo faltan unas semanas para el gran día! Por lo tanto, vamos a sacarle brillo a nuestro vocabulario y vamos ponernos a deletrear de manera intensiva. Que todo el mundo tenga en casa un diccionario y, si no, podéis tomar prestado uno de la biblioteca del colegio. Quiero que todos os entrenéis para deletrear palabras".

Debe de estar loca, porque debe de haber al menos un trillón de palabras en el diccionario y las posibilidades de que en el concurso me toque una de las que yo conozco son mínimas❋.

Cuando suena el timbre y acaba la clase, la señorita Olga dice: "¡No lo olvidéis! ¡Sólo faltan unas semanas para el gran día!".

Lo dice como si fuera algo importantísimo y la verdad es que a nosotros nos importa un pepino.

❋ **Mínimas**, significa pequeño en grado superlativo: "lo **más-mini**".

Alba me mira como diciendo "¡Está como una regadera!" y yo le hago un gesto girando un dedo sobre la sien, que significa: "Le falta un tornillo". Alba Blanco es mi amiga del alma. Sabe que la ortografía se me da muy mal. Pero no es mi culpa no saber que la palabra "animal" se escribe sin "h".

Después del colegio, el papá y la mamá de Alba la vienen a buscar para llevarla a hacerse unas gafas nuevas, porque su perro se ha comido las viejas. Les contamos lo del concurso de ortografía. A la señora Blanco (Llámame-Tere) tampoco le gustan demasiado los concursos de ortografía. Dice: "A algunas personas se les da bien deletrear palabras y a otras no. Hay quien ve cada letra perfectamente colocada en su cerebro y en cambio otras personas las ven todas

$$r^{e} \, v \, u^{e} \, l^{t} \, a_{s}$$

de manera que les resulta totalmente imposible formar con ellas las palabras".

Dice: "Yo que tú no me preocuparía demasiado,

Ana. Te aseguro que eso de saber deletrear bien no es tan importante".

Y Tere es escritora, así que supongo que sabe lo que dice.

El señor Blanco (Llámame-Juancho) dice: "Había una época en que las palabras se podían escribir de diferentes maneras. La ortografía entonces no era tan importante como ahora".

Yo digo: "Pues a mí me gustaría volver a esa época".

Tere y Juancho se ríen, pero yo estoy hablando en serio.

Me despido de ellos y empiezo a caminar hacia casa. Voy pensando que si no tengo talento natural para la ortografía, entonces ¿cuál es mi talento natural? Se supone que todo el mundo tiene una cosa que se llama talento natural, por alguna parte. Incluso si su talento natural consiste en empinar el codo, que es lo que se le da bien a mi tío Luís. Claro que no es el único talento que tiene. También sabe orientarse. Simplemente sabe en qué dirección hay que ir. Es una buena cosa, porque mi tío Luís es bombero, y los bomberos siempre van a toda prisa y necesitan saber a dónde dirigirse.

El talento natural de Carlitos Terremoto es adiestrar perros. Es un don que tiene.

Puede haberlo heredado de su madre, que se dedica a eso. La mamá de Carlitos es adiestradora de perros y también saca a pasear los perros de la gente.

Carlitos dice: "Tienes que hablarles a los perros como si tú fueras uno de ellos. La gente dice que es una tontería, pero a mí me funciona. Tienes que tratarlos como si tú formaras parte de su manada y fueras el jefe. Entonces todos los perros te siguen".

Dice que se comunica con ellos con

Auuullidos

Carlitos dice: "Lo más importante es enseñarles modales. Pero debes tener cuidado de no ser demasiado estricto con ellos y no humillarlos, porque entonces doblegarás su carácter pero tendrás un perro triste".

Lo mismo que con las personas. Quieres que se comporten con educación y que al mismo tiempo no sean aburridas. Roberto el Copiota es la antítesis de esto. Y está lejos de tener buenos modales, excepto que sea de buenos modales meterte el dedo en la nariz cuando estás hablando con alguien.

En casa tenemos un perro muy maleducado. Simplemente hace lo que le da la gana. Esto lo aprendió del abuelo.

El abuelo tiene buenos modales, pero no los utiliza demasiado, así que el perro tampoco ha tenido muy buen ejemplo para aprender.

Por eso Cemento es tan maleducado. Voy a llevarlo a que Carlitos le enseñe, porque Mamá ha dicho que aquí van a tener que cambiar un montón de cosas y podríamos empezar con el perro.

Voy pensando todo esto mientras paso por delante de la tienda donde Gus ha empezado a trabajar.

Se llama El Cogollo, palabra que viene a significar más o menos la parte del centro, el núcleo. Todas las cosas tienen un núcleo, así que no sé por qué una tienda vegetariana lleva ese nombre. Son ganas de confundir. Quizá "núcleo" sea una palabra más científica que "cogollo".

Papá dice que en español hay también otras palabras que significan lo mismo que "cogollo", como "meollo" y "la madre del cordero", aunque son más castizas. Es decir, menos científicas. De todos modos, no quedaría bien que una tienda vegetariana se llamase "La madre del cordero".

Mamá dice "cogollo" y Papá dice "núcleo". Pero puedes emplear cualquiera de estas palabras indistintamente. Al menos, yo lo hago.

El Cogollo es también una tienda naturista, además de vegetariana. Vende productos que no han sido tratados químicamente contra las plagas. No sé qué significa exactamente "naturista", pero imagino que tiene que ver con las cosas tal como son, sin artificios. Deberían anunciar sus productos con un cartel que dijera "con auténticos gusanos naturales incluidos", o algo así, para que la gente lo comprendiera mejor.

Mamá dice: "No pasa nada por comerse un gusano". Y yo digo: "¿Y qué pasa si eres vegetariano?".

En cualquier caso, estoy pasando por delante del escaparate cuando veo que en el cristal hay una hoja de papel sujeta con cinta adhesiva:

Edúcate en la expresión
Apúntate al taller de teatro,
danza y expresión para niños

Para más información:
Czarina – 659 426 577.

Por suerte llevo conmigo mi bolígrafo de la agente Lara Guevara y rápidamente apunto el número de teléfono en mi brazo. La tinta se vuelve invisible y sólo puedes verla si frotas.

Al llegar a casa le cuento a Mamá lo del taller de teatro y danza. Le pregunto si me puedo apuntar. Mamá dice: "Me parece bien cualquier cosa que te haga pasar menos tiempo discutiendo con tu hermano". Se refiere a mi hermano pequeño Manu, que es un bicho.

Quisiera apuntarme lo antes posible, así que una vez que me he terminado los espaguetis llamo a Alba Blanco.

Le digo: "¿Te apetece apuntarte a un taller de arte dramático?".

Y Alba dice: "¡Claro!".

Llamo al teléfono de Czarina y sale la voz de un contestador. Tiene una especie de música de fondo que no es música, sino más bien como un murmullo de agua y un sonido parecido al de una gaita.

La voz dice:

Nunca pierdas de vista tus sueños.

Actúa sobre ellos.

Si quieres información sobre el taller de teatro,

deja tu nombre y número de teléfono

después de oír la señal.

¡Acuérdate de pasar un día interesante!"

Dejo mi mensaje y espero no olvidarme de pasar un día interesante. Me pregunto a mí misma si no será el teatro mi talento natural.

Lo mismo da
ser **malo**
todo el tiempo

Hoy han pasado tres cosas estupendas.

Una, que he recibido un paquete desde América,
de mi abuela. A veces nos envía cosas, sin que
sea nuestro cumpleaños ni nada por el estilo, sólo
porque se le ocurre que pueden gustarnos.

Lleva una nota que dice: "Creo que esto te
encantará". Y cuando lo desenvuelvo, la verdad es
que sí.

Es un cuaderno de Lara Guevara con un candado.
Nadie puede leer lo que escribes, a no ser que
tenga la llave. Pero tú la llevas contigo siempre,
camuflada en un collar secreto especial de modo
que los cotillas nunca puedan encontrarla.

Y ni siquiera sospechan que se trata de un
cuaderno de Lara Guevara, porque no lo pone en
ningún sitio. Sobre la tapa sólo tiene una mosca
que desaparece cuando le das un golpecito.

Es típico de la forma de actuar de Lara Guevara:
no llamar la atención sobre sus asuntos secretos.
Dentro tiene un montón de consejos de Lara
Guevara, información

de utilidad y cosas como, por ejemplo, cómo sobrevivir en una emergencia.

O qué hacer si un archivillano quiere acabar contigo.

O cómo hacerte el dormido de una manera creíble.

Ahora estoy en posesión de todos esos astutos trucos y consejos.

Como esa regla de Lara Guevara que dice "SI QUIERES CAERLE BIEN A ALGUIEN, PROCURA QUE NO TE PILLE MANÍA." Parece una regla sencilla, pero es increíble cómo se le olvida a la gente.

He decidido que voy a apuntar en mi cuaderno de Lara Guevara todas las cosas que vea que me parezcan interesantes y sospechosas. Ni siquiera Alba Blanco tiene un cuaderno como el mío. Cuando me lo ha visto en el colegio, ha dicho: "¡Jo, Ana, qué suerte tienes!".

La segunda cosa buena que me ha sucedido hoy es que Alba me ha regalado una chapa que ha hecho con su máquina de hacer chapas. Tiene las iniciales de Ana Tarambana, AT, en rojo. Alba se ha hecho otra chapa para ella, con las iniciales AC.

Le digo que debería ser **AB**, de
Alba Blanco, pero resulta que no.
Que la **C** corresponde a la inicial
de su segundo nombre. Es un
nombre secreto que nunca utiliza y nadie
sabe que lo tiene.
Seguramente ha tomado la idea de la chapa
metálica que Lara Guevara lleva en la
hebilla de su cinturón, con las iniciales **LG**.
También su amigo Rubén Ríos tiene una hebilla
con las iniciales **RR**. Pérez nunca llevaría una chapa
así, porque siempre viste con traje y no le pega.

Y la tercera cosa estupenda del día de hoy es...
El nuevo profesor que ha llegado al colegio.
Ha venido de Trinidad, en régimen de
intercambio. En correspondencia, nosotros hemos
enviado allí a don Baltasar. La razón de hacer
intercambios es aprender las mismas cosas que aquí,
pero en otro sitio. Mi hermana mayor, Marga,
se encuentra de intercambio en Francia. Está
estudiando francés.

Y lo que yo he aprendido con esto es que, si tienes una hermana de intercambio en Francia, no tienes que esperar media hora a que salga del cuarto de baño.

Nuestro profesor de intercambio, don Nosequé (no me he enterado de su nombre) lleva zapatillas deportivas. Todo el mundo habla de él.

Y algunos lo van a escoger como su profesor-tutor durante un periodo de varias semanas.

Alba y yo nos cruzamos con él por el pasillo y nos acercamos a él y yo le digo: "Señor, me gusta su camiseta", porque lleva una camiseta con un dibujo de un perro nadando. Le digo: "¡Es preciosiiiísima!".

Y él contesta: "Gracias, AT y AC".

Es muy simpático.

Le pregunto: "Señor, ¿cómo se llama usted?".

Y él dice: "PW, pero podéis llamarme don Felipe". La verdad es que es muy divertido. ¿Qué significarán las iniciales PW?

Habla con un acento curioso, porque es de Trinidad, una isla del Caribe. Allí fue donde se conocieron tía Margarita y tío Luís, el hermano de

Mamá. Son los padres de mis primos Yola y Noé,
que viven a la vuelta de la esquina.
El jugador de críquet favorito
del abuelo también es un
caribeño de Trinidad.
Espero que nos toque
don Felipe como profesor.
Parece la mar de simpático.

Perro nadador

Dibujo el perro nadador de su camiseta
en mi cuaderno de Lara Guevara, porque es de
esas cosas que verdaderamente interesan.

Después de comer, la señorita Olga nos dice:
"Durante el tiempo de recreo, la señorita Camila
y yo haremos audiciones para la obra de teatro de
este año. Quien quiera participar, puede acercarse.
Y como no quiero tonterías, hasta más adelante no
pienso revelar cuál es la obra que representaremos
este año".
Estoy alborozada de veras, ojalá este año me toque
un buen papel.

El año pasado hice de zanahoria y sólo decía dos frases.

Una de ellas era: "Soy una zanahoria".

He perdido el interés en hacer de hortaliza que habla. No es realista.

No tengo nada contra la gente imaginativa, capaz de organizar un tinglado con cosas sorprendentes, pero en este caso no es nada interesante, porque ¿a quién le interesa saber lo que diría una zanahoria si pudiera hablar?

La respuesta es que no le interesa a nadie, porque las zanahorias se pasan toda la vida bajo tierra, a oscuras, criándose como zanahorias. Hasta que un día alguien las recoge de la tierra. Así que no tienen nada interesante que contar, porque no han tenido nunca una experiencia interesante. Incluso aunque alguna haya conocido a un gusano.

De todas maneras, Alba y yo estamos deseando saber qué obra se representará este año. Esperamos que no sea una escrita por la señorita Olga. Está chiflada por el baile. Así que absolutamente todo tiene que terminar bailando siempre, tanto si son lechugas como si son tomates.

Las audiciones resultan una tremenda estupidez. Tenemos que hacer cosas como pretender que somos árboles que crecen en el bosque y luego brincar como ardillas y otras cosas que no tienen nada que ver con el verdadero arte de la declamación.

Y ahí me tienes, por mi propio bien, intentando parecer una ardilla estúpida, mientras la señorita Olga me regaña sin venir a cuento. No es justo. Además es aburrido y nada divertido.

Cuando vuelvo a casa, mi hermano Manu entra corriendo en la cocina y choca con la mesa y luego hace ruido al golpearla encima con un vaso de agua y Mamá dice: "Marchaos a correr un rato al jardín hasta que os hayáis tranquilizado un poco".

Y yo intento decir: "Pero si yo...".

Y Mamá dice: "Ha sido un día largo y agotador y no tengo el cuerpo para aguantar tonterías".

A esto es a lo que me refiero cuando digo que lo mismo da portarse mal todo el tiempo. El resultado, de cualquier manera y hagas lo que hagas, es que siempre tienes problemas.

Algunos días
que empiezan mal
pueden terminar
muy bien

4

Carlitos ha escrito hoy una cosa en el tablón de
anuncios del colegio. No ha sido una buena idea.
Aunque demuestra que su ortografía es buena.
Porque si escribes

La señorita Olga camina
como un «caballo»

deberías tener cuidado de no hacerlo cuando ella
esté en el pasillo.
Carlitos dijo que no había sido él. Tampoco fue
buena idea, porque la señorita Olga dijo: "Carlitos
¿piensas que estoy ciega o que soy estúpida?".
A lo que Carlitos contestó: "Por supuesto que no
está usted ciega".
La señorita Olga ha dicho que se va a tomar el
fin de semana para pensar en un castigo ejemplar,

porque todos los que se le ocurren no le parecen suficientes.

✳ ✳ ✳

Puesto que me muero de ganas de participar en la obra de teatro y quiero un papel protagonista, tomo la decisión de mantenerme al margen de cualquier lío para caerle bien a la señorita Olga. Lara Guevara diría que se trata de **"MANTENER UN PERFIL BAJO, SIN LLAMAR LA ATENCIÓN SOBRE TU PERSONA. HAY QUE MEZCLARSE CON LOS DEMÁS Y TRATAR DE HACER LO MISMO QUE ELLOS"**.

Es uno de los consejos de Lara Guevara.

Así que miro a uno y otro lado de la clase, para ver qué es lo que están haciendo los otros y veo que Roberto Copiota se ha dejado colgando un lápiz de un agujero de su nariz.

Decido no mezclarme con él.

Me parece que más bien debo imitar a Vanesa García, ya que es una de las favoritas de la señorita Olga. Pero me resulta muy difícil imitar su sonrisa de pelotillera y a cambio compongo un gesto de los míos.

Así, estoy sentada mostrando cara de gran concentración. Esto lo consigo por el procedimiento de arquear ligeramente mis cejas, de modo que parezca que estoy escuchando, incluso aprendiendo, y eso que todo lo que está diciendo es muy aburrido.

No parece funcionar muy bien, porque apenas llevo cuatro minutos así y la voz de la señorita Olga resuena de pronto como si fuera una bocina que me dice: "Ana Tarambana, aunque no sé en qué estás pensando, por la cara que pones no se trata de nada bueno".

Y a mí me gustaría decir: "Creo que ni yo sé en qué estaba pensando, porque me he sumido en una especie de trance debido a las cosas aburridas que usted decía. Así que podría decirse que no estaba pensando en nada". En cambio, digo:

"Pero señorita Olga, la lección me parece archinteresantiiiiísima y me fascinan todas las cosas archinteresantiiiiísimas que está usted diciendo".

Y la señorita Olga dice: "Para empezar, la palabra archinteresantiiiiísima no existe en el diccionario. Te la estás inventando y no se pueden inventar palabras a tontas y a locas.

¡A saber dónde estaríamos si todos inventáramos palabras!".

No voy a conseguirlo. Me resigno a estar sentada, sin decir ni pío.

Mamá está intentando enseñarme a no replicar.

Dice: "No replicar te hará ahorrar un montón de tiempo en la carrera", y cosas por el estilo, aunque yo estoy tentada de contestar algo. No lo hago ahora, porque quiero tener un papel importante en la obra.

Así que debo mantener la boca bien cerrada.

Lara Guevara tiene una buena técnica para conseguir que no hable nadie. Consiste en impedir que se pronuncie palabra alguna metiéndoles en la boca un par de calcetines. Pero hay una norma que nos impide comer en tiempo de clase, así que no puedo hacer uso de esta brillante idea.

La única persona capaz de adivinar lo que estoy pensando es mi Mamá. Se le da bien. Dice que es porque tiene la experiencia de haber sido madre casi la mitad de su vida. "Leer el pensamiento de los hijos es una de las cosas que las madres saben hacer bien."

Dice que aunque no sabe decir ironías muy bien,
sí que puede leerte el pensamiento.

✳ ✳ ✳

Por la tarde, la señorita Olga nos anuncia qué obra
de teatro representaremos en el colegio este año.
Resulta que vamos a hacer

Sonrisas y lágrimas ♪♫

Carlitos dice que se trata de una comedia lacrimógena
y sensiblera y que no piensa tomar parte.
Personalmente creo que tiene razón, pero no me
importa. Estoy deseando participar.
Todo el mundo ha visto **Sonrisas y lágrimas**, todas
las navidades la ponen al menos una vez por la tele.
Al Abuelo le gusta, pero Papá no la soporta y siempre
se ofrece para fregar los platos cuando empieza.
Dice que preferiría pasar tres horas a oscuras en
una habitación con un perro rabioso, antes que

tener que tragarse **Sonrisas y lágrimas**. Alba
dice que sobre todo le gustaría hacer el papel de
Julie Andrews, que en la obra se llama María.
María es una monja que tiene buena voz y se hace
niñera y se casa con el capitán Von Trapp, que es
el padre de siete niños o así.

Los niños terminan vistiéndose con unos ropajes
hechos con cortinas y resulta que cantan muy bien.
A mí me encantaría ser la hija mayor del capitán
Von Trapp, llamada Liesl. Liesl tiene un novio
que se vuelve nazi, pero antes de eso trabaja como
cartero.

Cuando vamos al parque, Alba y yo corremos
colina abajo con unos delantales, como en la
película. Pero esto no se lo cuento a Carlitos.

Lo que me arregla el día, después de todo lo que
ha pasado en el colegio, es que Alba y yo hemos
ido a nuestra primera sesión en el taller de teatro,
danza y declamación. Vamos al estudio de teatro,
que es el mismo sitio donde Mamá tiene sus
clases de yoga y apesta al perfume de esas barritas

orientales que se queman para que no se note el olor a pies.

Intentamos convencer a Carlitos para que venga, pero dice que no. Que está mejor con su perro que haciendo el canelo, intentando aparentar que eres algo que no eres.

Es una pena, porque el taller resulta muy entretenido y fascinante.

La profesora, Zarina, pertenece a una escuela de profesores de teatro avanzado y está muy atractiva con su piercing con forma de anillo en la nariz. Suele vestir con un atuendo parecido a un pijama y calza zapatillas de ballet con lentejuelas.

Casi siempre anda de puntillas.

Es medio paquistaní, pero tiene un nombre ruso:

C.Z.A.R.I.N.A.

En realidad, basta con pronunciarlo como Za-ri-na, no hay que preocuparse por la C del principio, que no sirve para nada. Son cosas del lenguaje.

Alba me ha dicho que Czarina es un nombre muy elegante, incluso sin esa C que no hace ninguna falta. A las dos nos gustaría tener un nombre como ése.

Czarina llama a todo el mundo *"queridox"*, no importa de quién se trate. Y dice que la interpretación es un arte, pero claro, no se parece en nada a ese arte al que yo estoy acostumbrada y que tiene mucho más que ver con usar cartulina de colores y cola de pegar que huele a pescado. Ella nos pone a hacer todos esos ejercicios especiales que hacen los actores. Tienes que aprender esa manera especial de respirar y de estirarte y recitar unos versos verdaderamente difíciles de recitar, y tienes que decirlos muy deprisa una y otra vez. Czarina dice:

"Queridox, tenéis que conectar con el público, conquistarlos, hacer que os amen, hacer que os odien. Utilizad vuestra voz, vuestro cuerpo, vuestra energía. Captadlos, no los dejéis ir".

Tenemos que estar de pie muy derechos y respirar profundamente desde el dedo gordo del pie.

Czarina dice:

*Sentid como si vuestro cuerpo
se inundase por completo de oxígeno,
sentidlo en vuestras piernas, en vuestro vientre
y en los dedos,
flotad por encima del suelo,
¿estáis flotando, queridox?*

Es tan estupendo, nunca pensé que podría flotar,
pero cuando ella lo dice de esa manera, siento que
puedo. Czarina dice:

*"Sois estupendos,
queridox, flotáis maravillosamente bien".*

Czarina dice:

*"Sí, es extraordinario cómo el talento
se desliza en nosotros cuando
contamos un poquito con él".*

¡Uao! ¡Czarina piensa que tengo talento!

A veces **piensas** que **conoces** a la gente y luego **te das cuenta** de que **no** es así

El sábado viene a casa mi amiga Alba Blanco y Mamá nos pide que vayamos a la tienda vegetariana para comprar algo de tofu, que es como una especie de queso blanco pero que no sabe a nada.

Cuando entramos en la tienda, hay un montón de chicas jóvenes intentando que sea Gus quien las atienda y tenemos que saludar agitando la mano para que se dé cuenta de que estamos allí.

Gus se está volviendo un chico muy guapo, es lo que dice Mamá. Entiendo a qué se refiere, su aspecto ha mejorado mucho. Tiene menos granos y su pelo parece que ha ganado sentido de la orientación. Gus lleva puesta una camiseta con el logotipo de El Cogollo. Es bueno en su trabajo. Parece que sabe lo que hace.

Me apetece tener mi propio trabajo.

No me asusta la idea de trabajar en la tienda vegetariana, porque me gusta poner las cosas dentro de una bolsita de papel marrón y cerrarla doblándola por arriba, que es en lo que consiste la mayor parte del trabajo.

En la tienda, muchas de las chicas parlotean y dicen: "Oh, Gus, qué divertido".

Y Gus es algo divertido, pero no tan divertido. Yo soy bastante más divertida y nadie se ríe de mis chistes, ni de los de Alba.

Kevin Sánchez también está en la tienda. Es el propietario del establecimiento y Alba y yo pensamos que su nombre suena como el de un actor de cine. Es un hombre muy simpático y siempre está bromeando, pero muchos clientes no pillan los chistes, porque sabe mantener la cara bien seria sin que se note que está de broma. La mayoría sólo piensan que es un poco raro.

Llega una cliente que frecuenta mucho El Cogollo. Siempre va con chanclas, incluso en invierno.

Kevin Sánchez la saluda: "Hola, Vicky, ¿qué tal te encuentras hoy?".

Y ella contesta: "Bien, excepto una molestia que tengo aquí, en la axila".

Kevin Sánchez dice: "Podría tratarse de un simple roce, tal vez un contacto más suave lo solucionaría".

¿Alguien lo ha entendido?

Como es imposible que mi hermano nos atienda, le pregunto a Kevin por ese pan que pesa mucho y que está hecho con distintos cereales. A Mamá le encanta, pero el Abuelo y yo lo encontramos difícil de masticar. El truco está en beber agua en cantidad mientras lo comes.

Kevin Sánchez contesta: "La tienda se está llenando de chavalas, estoy empezando a sentirme un poco como una grosella espinosa... No, lo siento, se me ha terminado todo". Pero tiene razón, nunca había visto en la tienda tantas chicas de 14 a 17 años.

Gus parece no darse cuenta, que es como se supone que es él.

Es Piscis. O pisceriano, que suena parecido a vegetariano pero en realidad es una palabra que define tu tipo de personalidad.

Depende del mes en que hayas nacido y, si es febrero, puedes ser del signo de un pescado y probablemente tienes un carácter soñador y te cuesta concentrarte. Lo he leído en los horóscopos. Mamá suele decir: "Gus es un Piscis típico". Y es verdad. Parece un besugo, porque tiene esa forma triste de mirar igual que la de los peces.

También va de aquí para allá sin decir nada, que es exactamente lo que los peces hacen.

Mamá se pasa la vida leyendo los horóscopos, aunque no cree ni una palabra de lo que dicen.

Piscis

Alguien derrama una jarra de escabeche natural y el olor no es demasiado agradable, así que Alba y yo decidimos emprender una rápida retirada, después de haber comprado patatas fritas azules y un extraño zumo que huele a mil demonios. Alba dice que ha vuelto a visitar la página web de Lara Guevara y parece que hay mucha información nueva sobre la película de Hollywood y han puesto las fotos de los artistas que van a intervenir.

Aparte de Lara Guevara, el personaje más importante es Pérez.

Por si alguien no lo sabía, Pérez es un hombre sorprendente. Es quien prepara todo el arsenal de agente secreto que usa Lara y todo el mundo se piensa que es un simple mayordomo.

Y lo es, pero no sólo es eso.

Por la mañana lleva a Lara una taza de té a la cama, pero también es quien pilota su helicóptero de color púrpura y acude siempre a rescatarla.

Alba dice: "El nuevo Pérez es casi exactamente igual que el viejo", por ejemplo, su pelo perfectamente cortado con algunas vetas grises.

Tiene las mismas cejas que el otro Pérez.

Es sorprendente de todo lo que te puedes enterar en Internet. Casi nunca navego por Internet porque mi hermano Gus tiene la conexión en su cuarto y no se fía de mí ni de Manu.

Cuando hemos terminado nuestros bocadillos, vamos a ver cómo Carlitos enseña a Cemento y al Abuelo a comportarse. Se encuentran al pie de la colina.

Pienso que va a ser muy aburrido, porque no podemos hablar ni interrumpir, y ver un entrenamiento de esos tiene que ser aburrido. Pero resulta que no.

Carlitos es muy buen adiestrador y Cemento y el Abuelo aprenden bastante deprisa. Lo primero que Carlitos está intentando conseguir es que Cemento no salte sobre la gente y se ponga a ladrar como loco. Para eso, lo primero es impedir que el Abuelo anime a Cemento a hacerlo.

Estoy muy sorprendida con Carlitos. Se porta muy bien con el Abuelo. Incluso cuando hace algo mal le dice: "No te preocupes, ya le pillarás el truco".

Pienso que Carlitos sería un estupendo profesor. A los dos les cae simpático. Cuando nos ve, hace una imitación de la señorita Olga trotando como un caballo, que incluso al Abuelo le parece archidivertida y eso que nunca ha visto la forma de andar de la señorita Olga.

Después Carlitos viene a cenar a casa. Mamá, como una especie de experimento, nos prepara hamburguesas de tofu y le salen bastante insípidas. Pero Carlitos dice de un modo muy diplomático que tienen un sabor interesante.

Mama dice: "¿Cómo está tu madre, Carlitos? ¿Qué tal le va el negocio de sacar perros a pasear?".

Y Carlitos contesta: "Está muy bien. Y el negocio le va de maravilla. Suele pasear a cinco perros al mismo tiempo, pero al perro del señor Pereira lo tuvo que dejar durmiendo, porque está ya muy viejo. Así que a ése ya no lo va a llevar más".

Mamá dice: "Bien, dale recuerdos de mi parte. Es posible que nos encontremos en la función de teatro".

Y Carlitos contesta: "Quizá".

Después de la cena, Alba, Carlitos y yo hablamos de la película de Lara Guevara que están rodando en Hollywood y lo estupenda que va a ser. Yo digo: "No me imagino cómo se van a apañar para sacar a Lara volando con sus alitas planeadoras".

Carlitos dice: "Eso es fácil. Se hace con efectos especiales, con modelos y ordenadores y todo ese rollo".

Carlitos entiende mucho de esas cosas.

Alba sigue: "Dicen que van a rodar parte de la película en España y, quién sabe, a lo mejor es en Madrid".

Alba ha visto en la tele un documental
sobre estrellas de cine y resulta que
durante el rodaje viven en caravanas.
Yo digo: "Me encantaría vivir en una caravana".
Carlitos dice: "Yo vivía en una caravana antes de
venir aquí, antes de que mi padre se marchara".
Yo digo: "¿De veras? No lo sabía. Tenía que ser
estupendo".
Carlitos dice: "No te creas. Tenía goteras".
El padre de Carlitos era camionero, pero se
quedó sin trabajo y sufrió una depresión. Un
día desapareció sin dejar rastro, simplemente se
marchó y no regresó. Nadie sabe qué ha sido de
él. Carlitos siempre está esperando que lo llame,
pero él nunca llama.
Hay muchas cosas sobre Carlitos que ignoro y
supongo que hay muchas cosas que no le cuenta a
nadie. Pero cuando te cuenta algo, siempre es muy
interesante.
Carlitos es muy especial, es una persona muy suya.
Te crees que lo conoces y en realidad sabes muy
poco de él.

Cuando se han marchado Alba y Carlitos, le pregunto a Mamá: "¿Por qué el padre de Carlitos se marchó así, sin llamar para decir que está bien? ¿Crees que volverá?".

Y Mamá dice: "A veces la gente se ve desbordada por las cosas que pasan. Y se meten en un laberinto del que luego no resulta fácil encontrar la salida".

Y yo digo: "¿Pero por qué la mamá de Carlitos no busca a su marido, si Carlitos lo echa de menos? ¿Por qué no hace nada por encontrarlo?".

Y Mamá dice: "Seguramente tendrá sus razones. Quizá sepa que el papá de Carlitos ahora no puede hacer de papá, pero eso no significa que sea una mala persona. A veces las cosas no son tan sencillas".

Yo quisiera que las cosas fueran más sencillas, aunque esto es algo que estoy empezando a aprender, que a veces lo difícil es no meterse en un laberinto.

Voy y pongo corriendo la tele. Van por la mitad de un episodio de Lara Guevara titulado

OJOS QUE NO VEN.

Es interesantísimo, porque Lara acaba de recibir una invitación espantosamente llamativa para asistir a una fiesta de Julito Lechuga, que es un chico millonetis que vive en Somosaguas※, el barrio más pijo de la ciudad y se pasa la vida dando superfiestas. Lara está de pie mirando la invitación y en ese momento aparece Rubén Ríos, que hace un derrapaje con su bici y se planta justo donde se encuentra ella.

Dice: "¡Hola! ¿Has oído lo de la fiesta de Julito Lechuga? Creo que ha invitado a todo el mundo menos a nosotros dos".

Lara mira de reojo la invitación que tiene en la mano y luego mira a Rubén Ríos. Se da cuenta de que Rubén es el único que no ha sido invitado. Un detalle de lo más cutre por parte de Julito, que no puede ni ver al bueno de Rubén porque es estupendo y le tiene envidia. De todos modos, Lara no quiere que Rubén lo sepa, para que no se sienta ofendido.

Entonces Rubén ve que ella tiene algo en la mano y pregunta: "¿Qué es eso?".

※ Dando por supuesto que la acción se desarrolla en Madrid, España.

Rápida de reflejos, Lara contesta: "¿Esto? Nada...
Publicidad de una pizzería. Nada interesante".
Y tira la invitación a una papelera.
El episodio termina con Rubén Ríos y Lara
Guevara dando un paseo en el helicóptero de
color púrpura pilotado por Pérez, en lugar de ir al
fiestorro de Julito Lechuga.
Luego, Lara le dice a Pérez: "¿Sabes, Pérez? Hay
cosas de las que es mejor no enterarse, porque no
merecen la pena".
Y me parece que comprendo lo que quiere decir.

Es **difícil** estar a buenas con tu **mejor** amigo, cuando **no te aguantas** ni tú mismo

El lunes, de vuelta en el cole, Carlitos Terremoto está en una de sus rachas en que hace todo lo posible para llevarse un broncazo.

Ni siquiera resulta gracioso.

Más bien resulta estúpido.

Se ha dedicado a ir partiendo por la mitad los lapiceros※ de la gente.

Cuando le pregunto: "¿Por qué?".

Me contesta: "¿Por qué no?".

Lo dice con esa voz que pone cuando quiere hacer reír a Pepe Guasón. Pero a nadie le hace gracia. Es fácil hacer reír a Pepe Guasón, sólo tienes que sacarle la lengua y ponerle caras y ya empiezan las risas. Y a veces ni eso. Cuando Carlitos está así de tonto, ni me molesto en hablarle.

※ En ocasiones, romper un lápiz sirve como desahogo cuando te sientes totaaalmente estresado.

La señorita Olga entra con aires de estar encantadísima de haberse conocido y dice: "Cuando todo el mundo esté atento y deje de hablar, os tengo que decir una cosa".

Por supuesto que no espera a que todo el mundo esté atento, nunca lo hace, así que no veo por qué tiene que decirlo siempre.

Dice: "Estoy haciendo la lista de los que participan en la obra de teatro. Todo el que quiera intervenir tendrá un papel, incluso Carlitos Terremoto, que ya sé que se considera por encima de **SONRISAS Y LÁGRIMAS**, pero me temo que en tu caso, Carlitos, es obligatorio". Quiere decir que va tener que participar en la obra, le guste o no.

Me parece que a Carlitos le toca pagar la factura por escribir en el tablón de anuncios que la señorita Olga camina como un caballo.

Miro la lista con el reparto y me entero de que no estoy seleccionada para el papel de Liesl Von Trapp, sino que me ha tocado ser la monja número 4. Me quedo totaaalmente abatida. Y no puedo entenderlo, porque Czarina dice que tengo

una capacidad natural para la expresión dramática.
Czarina sabe mucho de teatro. Si dice que lo
hago bien y que tengo una capacidad natural para
expresarme, seguro que sabe lo que dice y que
tiene razón. Así que, ¿por qué tengo que ser una
de las monjas?

No quiero hacer de monja.

Quiero llevar un atuendo bonito.

Y sólo me dejan cantar en el coro, porque la
señorita Olga dice que no tengo buena voz. Dice
que mi voz es alta y desafinada, cosa que no suena
en absoluto agradable.

Siempre había pensado que canto bien. De todas
maneras, la gente que tiene voz de bocina chillona
debería pensárselo antes de decir a los demás que
desafinan.

Y por supuesto, Vanesa García va a interpretar
el papel de Liesl. Sólo porque la gente piensa
que es muy guapa y que canta bien. Y además
sabe bailar.

Alba va a hacer el papel de Luisa, que es la
segunda de los hermanos Von Trapp. Me
resulta difícil alegrarme por ella y felicitarla,

1

porque a mi me encantaría ese papel y estoy que me muero de envidia.

Pero Alba dice: "Tu papel también es importante, porque es una de las monjas que anima a María a salir al mundo y, por tanto, gracias a ella María conoce al capitán Von Trapp y se enamoran y se casan y se escapan de los nazis y todo eso".

"Si lo piensas, el de monja es uno de los papeles más importantes, mientras que Luisa es sólo una entre un montón de hermanos. Si no estuviera ahí, nadie lo iba a notar", añade.

Susanita Pardo será quien haga de María.

Carlitos ni se ha molestado en mirar el reparto. Dice: "El único papel que me gusta es el del capitán Von Trapp. Si tengo que actuar en una obra lacrimógena, espero que me toque hacer su

3   4   5   6   7

61

personaje". Le gusta dar órdenes a todo el mundo, como hace el personaje del capitán.

Pero la señorita Olga dice: "Carlitos interpretará el papel de Rolf, el novio de Liesl".

Carlitos protesta: "¡Ese papel es una cursilada!". Y dice que no hará escenas de besos.

El capitán Von Trapp será interpretado por Roberto Copiota, cosa que me parece un despropósito.

No creo que la obra de teatro de este año vaya a salir bien.

Hago el camino de vuelta del colegio a casa yo sola, porque Alba tiene clase de trompeta.

Alba dice que no le gusta demasiado, porque le parece que las mejillas se le están dando de sí. Yo todavía no estoy aprendiendo a tocar ningún instrumento, pero probablemente me decida pronto, porque quién sabe, a lo mejor lo hago muy bien. Y si no pruebo, nunca sabré si ése es mi talento natural, la música.

Y entonces habría perdido mi oportunidad de hacerme famosa y que mi nombre se convierta en una leyenda. Sería una lástima. Alba dice que no cree que vaya a hacerse famosa tocando la trompeta.

Ahora es más importante que nunca para mí averiguar cuál es mi talento natural, pues no parece que me vayan a elegir como protagonista de obras de teatro. Tere, la mamá de Alba, dice que puede ser muy traumático para un niño que no lo elijan para las cosas.

Pues yo estoy llena de traumas.

Cuando llego a casa me pongo a ver uno de mis videos de Lara Guevara, porque quiero saber qué haría Lara en una situación como la mía, esto es, desastrosa. El episodio se titula

NO ES PARA TANTO, LARA.

Lara se ha puesto enferma y no ha podido competir en el campeonato de natación de su colegio. Es una catástrofe, porque era la mejor nadadora y su equipo la necesitaba. Ella podría haber ganado la medalla de oro y habría aumentado todavía más su popularidad. Se encuentra apenada.

Pero precisamente por quedarse en casa y no haber ido a una de sus misiones secretas y no encontrarse tampoco en otro sitio, se produce una casualidad: nada menos que Iker Rubio, el superfamoso actor de cine, pasa por delante de la casa de Lara en un coche deportivo y tiene un repentino pinchazo.

Iker tiene que llamar a la puerta de Lara para pedir ayuda, porque resulta que no tiene ni idea de arreglar pinchazos.

Y en casa de Lara no hay nadie más que ella, porque Pérez ha tenido que llevar a los padres de Lara en el coche a una elegante fiesta de familia bien.

Así que es Lara quien ayuda a Iker a cambiar la rueda pinchada del coche y el episodio termina cuando se van juntos los dos a cenar a un restaurante de moda y todo el mundo se pregunta quién será esa chica tan misteriosa que acompaña al guapísimo Iker Rubio. Es decir, mucho mejor que participar en el concurso de natación del colegio.

Es un final típico de Hollywood, de los que nunca se producen en la realidad.

De esta manera me doy cuenta de que Lara Guevara nunca lo pasa mal.

Nunca le ocurre nada malo, nunca fracasa.

Por una vez, Lara no puede ayudarme.

Algunas cosas que pensabas que iban a ser **aburridas,** luego resulta que **no lo son**

Hoy me he despertado pensando que empezaba otro día aburrido, pero incluso antes del desayuno ha sonado el timbre de la puerta y adivina quién ha venido... ¡El tío Luís, el bombero! Ha tenido turno de servicio esta noche y se ha acercado a casa para comer algo.

Siempre es así, se presenta cuando menos lo esperas, como por arte de magia. Es una de las cosas que me gustan de él. Y además, parece que tiene el don de alegrarte la vida cuando necesitas ánimos.

Es un talento natural.

No sé cómo se las arregla para hacerlo, pero lo hace. Dice: "Aquí está mi fantástica sobrina Ana T. Hagamos un trato: tú me invitas a una taza de té y a unas galletas de chocolate y yo, a cambio, te llevo al colegio en mi coche loco".

Y le digo: "¡Hecho!". Y eso que el camino hasta el colegio apenas lleva siete minutos si andas un poco deprisa, cosa que a mí se me da bien. Pero me encanta ir en el coche del tío Luís.

Es el coche más pequeño que he visto en mi vida y es amarillo.

El tío Luís mide por lo menos 1,97 o eso me parece. Bueno, es muy alto y el coche es muy pequeño.

Y ya está: cuando voy a buscar las galletas de chocolate, me acuerdo de que anoche me las acabé todas. Así que digo: "Lo siento, tío, pero mucho me temo que Manu Chinche se ha zampado tooodas las galletas, es un poco glotón cuando se trata de galletas de chocolate".

❀ ❀ ❀

Al llegar al colegio me doy cuenta enseguida de que hoy tampoco va a ser un día aburrido. Entramos en clase y ahí, detrás de la mesa, nos está esperando el nuevo profesor, don Felipe. Saluda y dice: "Hola a todos. Me llamo Felipe,

Felipe Washington. ¿Sabe alguien qué es Washington?".

Yo levanto la mano inmediatamente y digo: "Me parece que es una ciudad de Canadá".

Y antes de que nadie más pueda hablar, Vanesa García va y dice: "No es una ciudad de Canadá, es la capital de los Estados Unidos de América".

Y Alba Blanco levanta la mano y dice: "Y también uno de los Estados y uno de los presidentes".

Y don Felipe dice: "Eso es. Y también es mi apellido. ¿Alguien más tiene nombre de sitio o de otra cosa?".

Andrés Robles dice: "Yo tengo apellido de árbol".

Y Alba Blanco dice: "Bueno, mi nombre y mi apellido significan lo mismo".

Mi primo Noé dice: "Mi madre se llama Margarita, que es una flor, y es de Trinidad. Yo he estado allí cinco veces y es muy bonito". Entonces Noé y don Felipe se lían a hablar sobre Trinidad y da la impresión de que es un sitio estupendo. Tengo que ir un día de éstos para conocer aquello. Quizá lo haga pronto, porque tengo familia allí.

Don Felipe nos explica que su nombre en realidad

es Phil, con **P**, aunque se pronuncie como una
F. Ya está resuelto el misterio de sus iniciales. En
realidad, don Felipe se llama Phil Washington.
Suena a cantante... ¿sabrá cantar?
Resulta que Phil es una forma abreviada de Philip,
Felipe en español. ¡Atiza! Don Felipe dice que su
nombre tiene origen griego y significa "amigo de
los caballos".
Entonces Carlitos dice: "Mi nombre también
es una forma abreviada... de poner furiosa a la
señorita Olga. Y significa que voy a estar muy a
menudo en el despacho de don Braulio, el jefe de
estudios".
Entonces todo el mundo se echa reír. También
don Felipe.

Cuando salimos del colegio, el señor Blanco
(Llámame-Juancho) está esperando para llevar a
Alba a su clase de trompeta. Nos pregunta: "¿Qué
tal el colegio hoy?".
Y yo respondo: "Hoy ha sido
superchachipirulístico, porque tenemos un

profesor nuevo que se llama Felipe Washington".
Y Juancho dice:

"su-per-cha-chi-pi-ru-lís-ti-co, qué
expresión más divertida. Creo que voy a usarla yo
también...".

Y yo digo: "Gracias, pero la señorita Olga
opina que no debo utilizar esa palabra,
porque me la he inventado yo y se
supone que eso no está bien, porque
la gente no puede ir por ahí
inventándose palabras a tontas y a
locas".

Entonces Juancho dice: "¡Qué tontería!
El diccionario siempre está engordando,
ésa es la magia del lenguaje. Todos los
años se inventan palabras nuevas".

Eso me recuerda que aún no he empezado a
prepararme deletreando palabras para el concurso-
colmena de ortografía. Y quedan pocas semanas.
Y no quiero estar de pie delante de todo el
mundo, sin saber qué decir, como una boba.

❋ ❋ ❋

Así que me despido y salgo disparada para casa. Abro el diccionario y subo a mi habitación. Hay millones de palabras ahí dentro que seguro que no voy a usar en toda mi vida, ni aunque viviera 90 o 95 años.

No sé por dónde empezar. Decido abrir el diccionario por la Q, porque hay menos palabras que empiezan por Q y así me da menos impresión. De hecho, hago un descubrimiento muy interesante: me entero de lo que es una

Quisquilla – crustáceo decápodo comestible, de color pardusco, similar al camarón. Gamba diminuta.

Quetzal – unidad monetaria de Guatemala.

Quórum – número de individuos necesario para que un cuerpo deliberante tome ciertos acuerdos.

Quimera – monstruo imaginario que vomita llamas por la boca, con cabeza de león, vientre de cabra y cola de dragón.

Quintañón – centenario, que tiene cien años.

Quillay – árbol de la familia de las rosáceas, de gran tamaño, madera útil y cuya corteza se usa como jabón para lavar telas y la cabeza de las personas.

Estudio las palabras que empiezan por Q por
lo menos durante una hora y quince minutos,
porque quiero ampliar mi vocabulario para
no quedarme en blanco en el concurso de
ortografía.

El único problema es que estoy más interesada en
enterarme de lo que significan las palabras que en
memorizar cómo se deletrean correctamente.

Entonces Papá me avisa de que es hora de
cenar. Bajo las escaleras y digo: "No quiero ser
quisquillosa, pero ¿vamos a tomar la cena, vamos
a hacer una merienda-cena o vamos a cenar?
¿Cuál es la expresión correcta? Es sólo una simple
consulta lingüística".

Papá dice que tendrá que pensarlo, pero que la
palabra cenar en principio está bien.

Yo digo: "¿Has estado alguna vez en Québec?".

Papá dice: "Quisiera ir con más frecuencia. Hace
muchos años que no voy por allí".

Yo digo: "Espero que Gus no haya hecho la cena.
Siempre que la hace él sabe a quemado".

Mamá dice: "La he hecho yo, para tu tranquilidad".

Yo digo: "Tengo sed, ¿queda zumo de naranja?".

Mamá dice: "No, pero en la jarra tienes todo el agua que quieras".

Yo digo: "¿Por qué nunca tenemos queso roquefort?".

Mamá dice: "Porque me da náuseas".

Yo digo: "Suenas un poco quejumbrosa
– *persona que se queja con poco motivo, o muy dada a buscar defectos*".

Mamá dice: "¿Te has tragado el diccionario?".

Yo digo: "¿Estoy demasiado preguntona?".

Manu dice: "Mamá, Ana está tontísima. Y ayer se puso tibia de galletas de chocolate, y eso que le dijiste que no comiera nada antes de cenar".

Pellizco a Manu en un muslo y él da un bote tan violento que está a punto de tirar las cosas de la mesa.

Mamá dice: "¡Ya está bien! ¡Estaos quietos de una vez, o me vais a sacar de quicio!".

Significa que ha llegado el momento de cerrar la boca para que Mamá no se ponga nerviosa.

Al día siguiente tenemos ensayo y me resulta difícil concentrarme, ya que mi escena es muy corta y no tengo que decir demasiadas cosas. Así que estoy deseando volver a casa.

Todavía me quedan por aprender un montón de palabras de la Q y quiero pasar cuanto antes a la Y. Carlitos sigue poniendo caras y muecas para hacerme reír. Le veo por el rabillo del ojo, cómo trota de un lado a otro, parodiando a la señorita Olga. A cambio, le hago una imitación de Roberto Copiota y justo entonces me pilla la señorita Olga: "Ya veo que Ana y Carlitos os encontráis muy divertidos el uno al otro. Quizá os haga también mucha gracia pasar una hora castigados. Vosotros veréis".

Luego le toca a Carlitos hacer el papel de Rolf, el novio de Liesl. Se ve que no le gusta la idea. Vanesa intenta todo el tiempo tomarle de la mano, porque es parte de la escena del baile.

Cada vez que se sueltan, Carlitos se frota la mano en los pantalones. La señorita Olga dice: "Carlitos, tan sólo tienes que tomar a Vanesa de la mano".

Carlitos dice: "¿Y por qué?".

Y la señorita Olga dice: "Porque es lo que hacen las parejas de enamorados".

Carlitos dice: ¿Y usted cómo lo sabe?".
Por suerte, la señorita Olga no oye esto
último, porque está agachada delante del piano,
concentrada en ajustar la altura del taburete.
Después la señorita Olga dice: "Ahora, Rolf,
quiero que beses la mano de Liesl y hagas que gire
sobre sí misma".
Carlitos dice: "Está usted de broma".
La señorita Olga dice: "Nada de eso, jovencito.
Haz el favor de besarle la mano y hacerla girar,
inmediatamente".
Carlitos pone una mirada divertida y veo con
sorpresa cómo se acerca a Vanesa con aire
decidido. La señorita Olga aporrea las teclas del
piano. Carlitos toma la mano de Vanesa y le da un
lametón. Vanesa chilla.

Es un grito alto, agudo y penetrante,
que hace daño en los oídos. De esos
que te dejan medio sordo por un rato.
Carlitos dice: "No me da la gana de
besar la mano de nadie delante de
todo el colegio". La señorita
Olga se ha puesto roja

como un tomate. Señala en dirección a la puerta y dice:

"¡Al despacho de don Braulio,
AHORA MISMO!
¡No se chupa la mano
de nadie en
SONRISAS Y LÁGRIMAS!"

✳ ✳ ✳

Al volver a casa, reemprendo los estudios de ortografía. No sé por qué, decido saltarme las palabras que quedan de la letra Q y paso directamente a la Y. Esa noche sueño con yeguas que yacen en un campo de yerba, que hago yoga y tomo yogourt en un yate, rumbo a Yugoslavia... Entiendo el significado de cada palabra, pero no puedo comprender por qué **yogourt** tiene esa extraña ortografía. Entonces descubro que es una palabra de origen francés y que en español puede escribirse como suena, **yogur**. Qué suerte. Lástima que no siempre sea tan fácil.

Después de todo, leer el diccionario no resulta tan aburrido, porque descubres que existen un montón de palabras interesantes.

Lo que yo decía: algunas cosas que pensabas que iban a ser aburridas luego resulta que no lo son.

Después de la escena del lametón a la mano de Vanesa, don Braulio ha decidido que Carlitos no reúne las condiciones idóneas para interpretar el papel de novio de Liesl y le ha encargado los efectos de sonido. Carlitos está encantado.

Hemos ido a casa de Alba y su madre Tere le ha dejado a Carlitos una grabadora pequeña. Carlitos tiene almacenados un montón de ruidos de todo tipo, pero no veo cómo va a utilizar muchos de ellos. La mayoría no parece que encajen en una obra como **SONRISAS Y LÁGRIMAS**, pero Carlitos sabe de estas cosas y estoy segura de que ya se le ocurrirá algo.

Juancho, el padre de Alba, me pregunta: "¿Cómo llevas lo del concurso de ortografía, Ana?".

"No muy bien -respondo yo- porque aunque

estoy estudiando el diccionario, no consigo recordar cómo se escriben las palabras y mi nivel de ortografía sigue tan bajo como siempre".

Añado: "El problema es que la gente piensa que no eres tan inteligente si haces faltas de ortografía".

Juancho dice: "Pero eso no es cierto. Hay muchísima gente inteligente que hace faltas de ortografía".

Y yo digo: "¿Ah, sí? ¿Como quién?".

Juancho dice: "Einstein, por ejemplo ✳. Se cree que fue una de las personas más inteligentes que jamás hayan existido".

Esto último me parece que es cierto. Ya lo había oído antes. Siempre se pone a Einstein como ejemplo de un elevado cociente intelectual. Así que tener faltas de ortografía no significa que seas estúpido. Anoto esto en mi cuaderno de Lara Guevara:

Einstein – un señor muy sesudo
que hacía faltas de ortografía.

✳ **Einstein** – un señor que sabía mucho de matemáticas, famoso por su $E=mc^2$, que es un descubrimiento científico muy importante, aunque no sé exactamente para qué sirve.

El viernes en el taller de teatro hacemos unos ejercicios especiales de entonación con la voz. Me doy cuenta también de que actuar es algo más que recitar unas líneas del guión y que los gestos de la cara también hacen mucho.

Czarina dice:

"Queridox, actuar significa utilizar todo vuestro cuerpo, todo vuestro ser.
Utilizad vuestro yo,
cada centímetro de vosotros mismos utilizaos por completo. Quiero que lo saquéis todo".

Y sigue:

"Lo más difícil al actuar es saber reaccionar".

Esto lo dice mientras se mueve por la sala con sus zapatos especiales. Y cuando dice la palabra *"reaccionar"* lanza su mano adelante como si fuera a pellizcar a alguien la nariz, con lo que instintivamente todos echamos la cabeza atrás.

Dice:

"¿Veis queridox cómo todos vosotros habéis reaccionado?
Lo habríais hecho igual si hubierais sabido lo que yo iba a hacer?

¿No resulta mucho más difícil simular sorpresa
que sorprenderse de verdad?"

Está claro que tiene toda la razón, y durante el
camino de regreso a casa Alba y yo hablamos sobre
ella todo el tiempo. ¡Es tan interesante!

Estoy contenta otra vez, porque cuando interprete
a la monja número 4 voy a poder usar mi cara para
transmitir al público la persona que lleva dentro,
esto es, no una monja cualquiera sino la monja que
yo estoy interpretando.

Aunque mi papel apenas tenga unas líneas, creo
que podré reaccionar a las cosas y componer un
personaje interesante. Así es la vida, a veces piensas
que todo es muy aburrido y luego te das cuenta de
que no lo es.

Tener **razón**
puede ser un **error**

El lunes vuelvo a llegar tarde al cole, porque no consigo que mi pelo se comporte como debería, no hay manera de domarlo.

He perdido todos mis pasadores. Y otro que encargué HACE UN MES, con los cupones de los espaguetis de Lara Guevara, todavía no me ha llegado. Era una oferta especial, tenía que reunir seis cupones y enviar 2,95 € y a cambio me enviarían un pasador de Lara Guevara, con una mosca, igual que el que usa Lara. La promoción decía que lo iba a recibir en 30 días. Pero no ha llegado, así que estoy pensando en enviarles una carta de reclamación.

No es un buen día en el colegio. Las cosas van de mal en peor.

Quitan a Carlitos de responsable de

una mosca

1   2   3   4   5   6

efectos sonoros, por poner ruidos groseros cada vez que el capitán Von Trapp entra en escena.

Yo también me quedo sin mi papel de monja número 4, porque la señorita Olga me oye cuando digo que tiene un *derrière* enorme. Es la palabra francesa para decir trasero.

¡Pero es que tiene un *derrière* enorme!

Es una afirmación con la que cualquiera estaría de acuerdo.

Es que da la impresión de que no puedes decirle a la gente las verdades hasta que has cumplido 18 años. Y la señorita Olga está en posesión de la verdad y ella decide qué está permitido que sea verdad y qué no. Dice: "Creo que todos nosotros le estaríamos muy agradecidos si cerrara la boca, señorita". Sin embargo, evita consultar a los demás lo que opinan.

Ahora soy la monja número 7 y mi papel no
tiene ni una línea, ni una palabra. Nada.

Eso mismo me importa a mí la función de
teatro del colegio: nada.

Me estoy planteando no participar en
absoluto en **SONRISAS Y LÁGRIMAS**.

7

Estoy harta de que siempre me toquen los peores
papeles y de que me regañen cada cinco minutos,
cuando se supone que si hacemos teatro es para
pasarlo bien.

En el descanso, voy a sentarme sola porque Alba
no se encuentra aquí. Está haciendo el primer
curso de trompeta.

Tengo una sensación de agobio permanente por
el concurso-colmena de ortografía, y no hay
forma de que desaparezca. Me parece totaaalmente
injusto que a Carlitos se le dé bien deletrear
palabras de una manera natural, mientras que yo
no puedo hacerlo por más que me esfuerzo. No
es culpa mía si no soy capaz de recordar que la
palabra ansiedad se escribe sin **H**.

Ansiedad es una palabra angustiosa.

Aprovechando que llevo mi diccionario de

bolsillo, decido empezar a estudiar por la letra **X**. Descubro que casi ninguna palabra de las que me suenan con **X** empieza por **X**. Por ejemplo, éxito, axila, flexión, asfixia.

En realidad, la **X** no es una letra demasiado apropiada como inicial porque, si lo fuera, xilófono y xenofobia no serían las únicas palabras que se le ocurren a la gente cuando le preguntas.

También llevan **X** los rayos **X**, que es lo que usaron con Manu Chinche aquella vez que se cayó y pensaron que se había roto la pierna, pero en realidad sólo se había dado una culada. Deberían haberle mirado con rayos **X** el trasero, pero no lo hicieron porque no tienen esa costumbre.

La otra cosa que me ha amargado el día es que Alba tuvo un problema esta tarde con la señorita Olga. Es algo que no suele suceder, porque Alba Blanco es de esa clase de personas que nunca se mete en problemas por ninguna razón, excepto hoy después de comer, cuando la señorita Olga escribió una cosa en la pizarra y Alba levantó la mano para decirle que había cometido un error. La señorita Olga estaba intentando escribir

Desierto del Sahara

que es un lugar muy seco donde absolutamente todo está lleno de arena. No se te ocurra ir allí si no llevas varios miles de litros de agua, o de lo contrario, te irás quedando reseco y acartonado de tanta sed y quizá incluso mueras.

Menos mal que tengo mi libro con consejos para la supervivencia en todo tipo de situaciones desesperadas. Dice que si te pierdes en un desierto y estás sin agua, al menos deberás tener contigo una lata de fabada. La lata tiene que estar vacía, aunque en caso de emergencia siempre te puedes comer la fabada. Y si no tienes hambre, puedes guardar la fabada en otro sitio para más tarde.

No sé qué pasa si te has olvidado de llevar el abrelatas. Lo que hay que hacer es poner por la noche una bolsa de plástico encima de la lata, y un guijarro encima de la bolsa. Como por arte de magia, cuando te despiertes por la mañana, habrá agua dentro de la lata.

No estoy segura de cómo sucede, pero tiene que ver con algún principio científico.

El caso es que la señorita Olga escribió Deserto del Sahara, que significa otra cosa bien distinta, porque desertar es abandonar tus obligaciones. Los soldados, cuando desertan, abandonan la bandera. Claro que también pueden desertar los soldados en el desierto, aunque no creo que la señorita Olga nos quisiera hablar de banderas abandonadas.

A la señorita Olga no le gustó que Alba le dijera que se había equivocado.

Voy aprendiendo que a veces tener razón puede
ser un error.

※ ※ ※

Cuando caminamos de regreso del colegio, Alba
me cuenta una idea que ha visto en la `página`
`web de Lara Guevara`.
Alba dice: "Hay un concurso en el que te tienes
que inventar un personaje detective y contar un
caso misterioso".
Añade: "Podríamos escribir nuestra propia serie de
misterio".
Yo digo: "No creo que sea tan fácil".
Y Alba dice: "¿Por qué no?".
Y le digo: "Pues porque la idea de Lara Guevara
es de lo más inteligente y no creo que a nosotras se
nos ocurriera algo tan inteligente. De hecho, es la
serie de libros más inteligente que he leído nunca, y
además son divertidos".
Alba insiste: "Piénsalo de otro modo. Mira
todos esos libros que hay en las librerías y en los
supermercados. Si fueran tan difíciles de escribir no
habría tantos".

Alba tiene razón. Es lo que ocurre con Alba Blanco, que sabe pensar con lógica. Si estuviera en lo cierto en este caso y nosotras pudiéramos escribir nuestra propia serie de detectives, entonces yo tendría que saber bien la ortografía de las palabras.

Más tarde, estoy en casa estudiando cómo se escriben algunas palabras y tratando de adivinar cuántas letras Z hay en la palabra cecina, cuando suena el timbre de la puerta.

Es Carlitos. Ha venido a buscar al Abuelo y a Cemento para su sesión de adiestramiento. Los voy a acompañar, Carlitos me ha dicho que puedo ir con ellos y que además lo pasaremos bien.

Carlitos me muestra alborozado una hojita de papel. El papel tiene escrito un número.

Dice: "¿Sabes qué es esto?".

Y yo contesto: "Parece un papel con un número escrito".

Pero no se ríe de mi chiste y sigue hablando: "Estaba revolviendo en el bolso de mi madre, porque me dijo que le buscara su monedero, entonces cayó al suelo una libreta de teléfonos, abierta por la J, que es la letra del nombre de mi padre, Juan. No es que estuviera cotilleando ni nada por el estilo, sino que ahí estaba la libreta abierta y ahí estaba el número de mi padre. Así que lo copié corriendo, antes de que mi madre se diera cuenta de que lo había visto. No lo sabe y no quiero que se lo cuentes jamás".

Yo digo: "No lo contaré, te lo prometo. Pero creí que tu madre había dicho que no tenía el número de tu padre. Creí que nadie sabía dónde está".

Carlitos dice: "No sé por qué mi madre dijo eso. De todas maneras pienso llamar a mi padre este fin de semana y preguntarle si me puedo ir a vivir con él, no importa dónde se encuentre".

Yo digo: "¿De veras? ¡Qué estupendo!".

Carlitos dice: "Ya lo sé".

Yo digo: "Me pregunto por qué tu madre no te dijo que tenía el número de tu padre, cuando resulta que lo tenía".

Y él dice: "No lo sé. De todos modos va a ser estupendo irme a vivir con él".

Yo pregunto: "¿Y qué vas a hacer si te dice que no?".

Carlitos dice: "NO me va a decir que NO".

Yo digo: "No estoy diciendo que vaya a hacerlo, sólo pregunto qué pasaría si lo hace".

Él dice: "Mira, estoy tratando de compartir una buena noticia. He encontrado el número de teléfono de mi padre y voy a irme a vivir con él".

Yo digo: "Ya lo sé, ya lo sé. Es estupendo y me parece maravilloso que hayas encontrado el número de teléfono de tu padre. Sólo me preguntaba por qué tu madre no te dijo que lo tenía".

Carlitos dice: "Tú ni siquiera CONOCES a MI PADRE. POR SUPUESTO que MI PADRE quiere que viva con él. ¿Por qué no iba a querer?".

Yo digo: "No estoy diciendo que no quiera. Sólo pregunto qué pasaría si no quiere".

Carlitos dice: "¿Por qué tienes que decir eso? Si llego a SABERLO, no te cuento nada. Eres IGUAL que los DEMÁS".

Y se marcha corriendo.

Me siento fatal, porque tan sólo estaba tratando de ser razonable, pero puede que estuviera equivocada.

Ya no estoy segura.

Sin embargo, resulta extraño que la mamá de
Carlitos no le hablara del número de teléfono de su
padre, cuando resulta que lo tenía todo el tiempo.
Así que no puedo dejar de pensar que tiene que
haber alguna razón.

Puede que sea como dice Lara: "A veces es bueno
para la gente no saber, si lo que tienen que
saber no es bueno para ellos".

Así que sólo estaba intentando aplicar el punto de
vista de la propia Lara Guevara. Y Lara no suele
equivocarse.

Entonces, ¿por qué me siento tan mal?

A veces, cuando **no esperas** sentirte mejor, **vas** y te sientes mejor

9

Es curioso cómo las personas se pueden recuperar de los disgustos o de los acontecimientos adversos. Se debe al cerebro humano y sus misteriosos mecanismos. Estoy oyendo a un señor en la tele que dice que **el cerebro humano es más complejo que los actuales ordenadores**. En muchas ocasiones dudo que esto sea cierto. Cualquiera lo dudaría si conociera a Roberto Copiota. El señor de la tele sigue diciendo:

"El cerebro humano es increíblemente creativo".

Y esto último es verdad, es casi totalmente **incomprensible** *–muy difícil de entender–*. Cómo podemos estar tristes un minuto y al minuto siguiente sentirnos esperanzados.

La **memoria** es lo más **sorprendente** de **todo** y no tengo ni idea de cómo funciona.

A veces, está totaalmente en blanco.

No se entiende cómo a veces recuerdas lo que cenaste el martes pasado y no puedes recordar la tabla de multiplicar del 8. Es un misterio.

Mi memoria recuerda bien que la señorita Olga tenía un trozo verde de espinaca entre los dientes y también cómo me resbalé en medio de la clase y todos me vieron las bragas, cosas que preferiría haber olvidado.

En el taller de teatro, Czarina dice:

"Todas esas cosas que consideráis que son 'información inútil' pueden resultar de utilidad a la hora de interpretar".

Y también:

"Queridox, resbalarse delante de todo el mundo al final puede resultar ser una cosa estupenda".

Además dice:

"Debéis utilizar estas experiencias. Son el combustible de vuestra nave. Debéis tomar nota de todo".

Yo digo. "Lo último que me gustaría contar es el bochorno que pasé cuando resbalé y todos vieron mis bragas".

Lo peor de todo es que eran unas bragas muy ridículas, con un monito pintado que no es para nada mi estilo. Normalmente no llevo ese tipo de ropa interior. Para evitar estos desastres es por lo que mi abuela suele decir que cualquier día es bueno para ponerte las mejores bragas que tengas. De todos modos, Czarina dice:

"Este tipo de recuerdos es de utilidad porque el secreto de la interpretación es comprender qué se siente cuando te caes y toda la clase te puede ver las bragas. Queridox, cuántas más experiencias tengáis como ésta, mejor podréis imaginar, improvisar y expresar".

En el camino de vuelta a casa me pregunto si la monja número 7 se sintió alguna vez en ridículo delante de toda la clase. Y me pregunto también si tomó la decisión de hacerse monja porque una vez resbaló y todo el mundo pudo ver sus braguitas estampadas con monitos. Anoto esta reflexión en mi cuaderno de Lara Guevara.

Creo que estoy empezando a conocer la verdadera personalidad de la monja número 7. Es bastante parecida a la monja número 4, pero no idéntica, porque creo que es algo distinta y me parece que podré interpretar el personaje a la perfección.

La siguiente vez que nos toca don Felipe como profesor le pregunto detalles sobre el funcionamiento de la memoria, porque necesito desesperadamente acordarme de cómo se escriben las palabras y también otras muchas cosas. Cosas que podrían resultar de utilidad.

Por ejemplo, todas esas cosas que crees que no necesitas recordar, cosas que no piensas que puedan ser útiles, pero que de pronto descubres que sí lo son.

Como saber cuánto es **ocho por nueve**✳, sea lo que sea, o cuánta distancia hay hasta

✳ **8 x 9** = 72

Constantinopla✱, ya que nunca sabes cuándo vas a tener que ir andando hasta allí.

También hay otras cosas agradables de recordar, porque es agradable recordarlas, por ejemplo, una poesía.

O el nombre de una montaña en Japón, tan sólo porque te gusta recordarlo.

Mi padre es una de esas personas que siempre está recordando cosas. Le puedes preguntar prácticamente de todo y siempre te dará la respuesta. Y si no la sabe, siempre te sugerirá una, ¿por qué no?

Él dice que sólo hay que intentarlo.

Una de las reglas de Lara Guevara dice

"NUNCA SABES CUÁNDO ALGO QUE SABES TE VA A RESULTAR ÚTIL".

✱ **Constantinopla** (actualmente se llama Estambul) se encuentra a una distancia de 2.328 kilómetros. Si caminas a un paso normal, tardas unos 15 minutos en hacer un kilómetro a pie. Por tanto, se tarda en llegar 34.920 minutos. Claro que también hay que parar para tomar alguna bebida refrescante, si no quieres morir deshidratado.

Es una buena razón para querer saber más. Pero el problema es que, por más que aprendo, siempre lo olvido. Don Felipe dice: "El secreto es entrenar la memoria. Es como ejercitar cualquier otra parte del cuerpo. Hay cosas que puedes hacer para mantener en forma tu memoria".

Dice: "Lo primero de todo es intentar memorizar algo que de verdad te guste. Puede ser una poesía, una canción, razas de perros, cualquier cosa que prefieras".

Añade: "El secreto es estar interesado en ello. ¿Hay alguna cosa que te guste tanto que quisieras aprenderla de memoria?".

Y yo digo: "Es gracioso, porque me sé casi entero el papel de Liesl en **SONRISAS Y LÁGRIMAS.** Me lo he aprendido casi sin querer, tan sólo de escuchar a Vanesa recitarlo una y otra vez".

Y don Felipe dice: "Eso es porque te gustaría interpretar ese papel, de modo que tu mente está motivada. Así que, ¿por qué no te aprendes el papel completo? Sería un buen ejercicio".

Me parece que tiene razón y que debería empezar a

entrenar mi memoria. Me acuerdo de Carlitos entrenando a Cemento y al Abuelo, y me pregunto si será igual de fácil.

❋ ❋ ❋

No tengo nada que hacer el sábado, así que paseo tranquilamente hasta El Cogollo. Hace mucho calor y no se ve ni un ser vivo en nuestra calle, excepto unas cuantas moscas. Al doblar la esquina y enfilar la calle del Olmo, que bordea el parque, veo a mucha gente tumbada sobre la hierba, tomando el sol y poniéndose rojos como cangrejos. En El Cogollo se está fresquito y bien. Por una vez, la tienda está vacía, excepto Gus y una chica que trabaja con él. Gus parece alegrarse al verme y me presenta a la chica, que se llama Sara.
Sara lleva un pañuelo en la cabeza y unos pantalones muy anchos y deshilachados por la parte de abajo. Tiene un pendiente en una ceja y se entretiene haciéndolo girar todo el tiempo.
Ella y Gus se encuentran en esa fase en que les parece divertido todo lo que diga el otro. Y se

persiguen por toda la tienda,
tratando de pegarse el uno al otro las
etiquetas adhesivas de los precios.

Cuando dejan de jugar, Gus me pregunta:
"¿Qué pasa por ahí fuera?".

Yo contesto: "Sólo moscas".

Y Sara encuentra graciosa mi contestación
y dice: "¡Uao! Tu hermana es muy
divertida".

Parece que tiene acento sudamericano.

Me da una especie de zumo que en realidad no es un zumo, sino que tiene el aspecto de agua amarilla y tiene un sabor parecido al olor de la tienda.

Sara dice: "Es una mezcla de varias hierbas chinas y va muy bien para desintoxicar ❀ el cuerpo".

Yo digo: "No estoy segura de querer desintoxicarme", porque no tengo ni idea de qué es desintoxicarse, pero me lo bebo igualmente, y eso que parece pis.

❀ **Desintoxicar.** Seguir un tratamiento para ayudar al cuerpo a eliminar una serie de sustancias y porquerías que no necesita y estaría mejor sin ellas.

Hago una anotación en mi cuaderno de Lara
Guevara

mirar la palabra desintoxicar
en el diccionario en cuanto llegue a casa.
Nos lo pasamos bien charlando. Me dejan
que me siente en el taburete que hay al
otro lado del mostrador, cosa que siempre me
había hecho ilusión porque es muy alto. Además,
me regalan una camiseta con el logotipo de El
Cogollo. Cuando me la pongo, parezco una
persona más de las que trabajan en la tienda.
Entonces entra un grupo de chicas, todas hablando
al mismo tiempo muy deprisa y muy alto y
riéndose como pavas. Preguntan si pueden tomar
unos zumos naturales, recién exprimidos, del
mostrador de zumos.
Pero no se los piden a Sara. Se los piden a Gus,
que se ocupa de atenderlas.
Sara parece disgustada y yo le hago un gesto
arqueando las cejas un momento. Ella me lo devuelve.
Elijo para mí un sorbete de fruta natural y sin
aditivos de la cámara de congelación y dejo el
dinero en el mostrador.

Me despido: "Hasta luego, Sara. Hasta luego, Gus". Pero Gus no me oye.

Sara dice: "Nos vemos, chavalota".

Que es exactamente lo que habría dicho Lara Guevara.

Me voy tomando mi sorbete de fruta natural, que es de sabor a mango.

Me encanta el mango. Me gusta tanto que creo que nunca dejará de gustarme.

Y entonces veo que por ahí va Carlitos Terremoto. Le grito: "¡Eh, Carlitos!". Pero no me oye, así que vuelvo a gritar y agito los brazos. No puedo creer que esta vez no me haya oído. Así que corro tras él y le tomo del brazo.

Entonces me dice: "¡Déjame EN PAZ! ¿Vale?".

Y continúa andando. Yo le digo; "¡Eh, Carlitos! ¡Que soy yo, Ana!".

Él dice: "¿Y qué?".

Su manera de hablarme me sorprende. Le digo: "Pensaba que éramos amigos".

Me contesta: "¿Ah, sí? Pues TE EQUIVOCAS".

Y me deja plantada, con la boca abierta.

Lo veo marcharse y entonces me tropiezo con el bordillo de la acera y el sorbete de mango se me cae al suelo y mi tobillo está sangrando porque llevo las chancletas y Mamá me tiene dicho: "Nunca corras cuando vayas en chancletas" y tiene razón.

Duele, pero casi ni lo siento de lo pasmada que me ha dejado Carlitos. Me quedo observando cómo mi sorbete de mango empieza a derretirse sobre el asfalto y enseguida, como salidas de ninguna parte, aparecen las hormigas y empiezan a utilizar el charquito como si fuera una piscina.

No levanto la mirada porque no quiero empezar a llorar. Así que simplemente me quedo con la vista fija todo el tiempo en las hormigas, que parecen disfrutar de su baño en el jugo de mango.

De pronto, alguien me levanta y tengo los pies colgando por encima del suelo. Sé quién es, claro, porque es la única persona que nunca te saluda diciendo hola o algo normal. Al único que no levanta en el aire es a Papá, porque no le gustaría, y tampoco al abuelo, porque es frágil y se le podría romper una cadera.

Y digo: "¡Aaay, bájame, tío Luís!".

Pero en realidad no es eso lo que quiero decir, y los dos lo sabemos.

Tío Luís dice: "No hace un día como para quedarse ahí parada, mirando las hormigas, ¿sabes?".

Yo le digo: "Sí, ya lo sé".

Y él dice: "Muy bien, entonces vayamos al cine".

Así que nos vamos al cine y lo pasamos estupendamente y se está fresquito allí dentro y la sala está casi vacía de gente.

Y la película es de un pez perdido y su padre lo está buscando y está muy bien, aunque sepas cómo va a terminar. Me recuerda a Carlitos y me resulta extraño que su padre no venga a buscarle.

Cuando estoy con el tío Luís enseguida se me pasa el disgusto porque Carlitos Terremoto ha dicho que ya no somos amigos.

Si el tío Luís no es capaz de hacerme reír es que nadie puede. Pero cuando estoy en casa después de que se haya marchado, pienso otra vez en Carlitos y en lo que ha dicho y me siento fatal por dentro y cuando Papá dice "¡Hora de cenar!", no tengo hambre.

A veces hay cosas
que es mejor
no saberlas

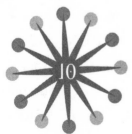

Al día siguiente, miro la televisión.

Lara Guevara y Rubén Ríos deciden desaparecer después del colegio. Se dedicarán a vigilar conductas sospechas y movimientos extraños. Hay mucho de eso en su ciudad.

LARA: "Oye, Rubén. ¿Quieres ver esto?"

Lara coge sus gafas de sol especiales, que en realidad son unos prismáticos camuflados, y él se las pone.

RUBÉN: "¡Vaya! ¿Ése que está hablando con Ramona Ramírez no es el famoso ratero Dimitri Zernikalov?"

LARA: "¡Va a ser que sí! ¡Muchacho, lo que hay que ver, en cuanto te pones a vigilar un poco! Te enteras de un montón de cosas sólo con sentarte y observar".

RUBÉN: "Tienes razón. Si no lo veo, no lo creo".

LARA: "¿Desde cuándo Ramona Ramírez se enrolla con rateros? Está detrás de algo".

RUBÉN: "¿Cómo lo sabes?"

LARA: "Porque siempre hace lo mismo. ¿Qué te apuestas a que quiere su ordenador o su bici? No le haría la pelota así a cambio de nada, puedes estar seguro".

Mientras Lara y Rubén están distraídos, no ven llegar un coche negro de aspecto siniestro. No lo ven, porque no están prestando atención a lo que pasa a sus espaldas y están concentrados en otra cosa y eso es un error que los agentes secretos no deberían cometer.

¿Ves lo que ha pasado?

Lara Guevara ha olvidado una de sus principales reglas: **"NO TE ENTRETENGAS CON TONTERÍAS CUANDO ALGO IMPORTANTE ESTÁ AL CAER"**.

Esto demuestra que incluso alguien como Lara Guevara, que es una persona verdaderamente genial, a veces puede tener un desliz y olvidarse de lo más importante.

✸ ✸ ✸

Decido hacer algo de vigilancia por mi cuenta. Controlar, por ejemplo, si alguien está tramando algo. Así que tomo mi cuaderno de notas de Lara Guevara y me siento en una silla en el exterior de mi casa, desde donde puedo observar qué cosas interesantes suceden en la calle.

Hace mucho calor. Después de 22 minutos, estoy más seca que el pan tostado, me muero de sed. Y por la calle sólo ha pasado un pobre gato cojo.

La cosa no estaría mal si estuviera aquí sentada con Rubén Ríos, que sería un

Gato cojo

compañero estupendo. Me pongo a pensar en Carlitos Terremoto y en cómo me gustaría que viniera aquí a sentarse a mi lado, pero ya no me dirige la palabra.

Eso es lo que hay.

La señora Martínez, nuestra estúpida vecina de enfrente, se asoma para sacudir un mantel y dice: "¿Sabe tu madre que estás ahí sentada sin hacer nada?".

Yo contesto: "No estoy sin hacer nada, estoy observando las cosas".

Ella dice: "Me parece que más bien te dedicas a fisgar y a hacer el vago".

Yo contesto: "Mira quién habló".

Pero lo digo para mis adentros, porque lo último que quiero es que la señora Martínez la tome conmigo, especialmente ahora que estoy de vigilancia.

Pérez siempre dice: "Lara, procura no llamar la atención de la gente, o ellos descubrirán tu camuflaje". Lara es demasiado impulsiva y a menudo se mete en problemas, porque no puede contenerse y dejar de decirle las verdades a la gente.

Lara y yo nos parecemos ligeramente en esto.

La señora Martínez regresa al interior de su casa y simula que no me está mirando escondida detrás de los visillos. Yo hago como que no me doy cuenta de que me está mirando escondida detrás de los visillos. Hay una regla de Lara Guevara que dice: "NO PERMITAS QUE EL ENEMIGO SEPA QUE TÚ SABES QUE ÉL SABE".

Hacer como que ignoras las cosas resulta mucho más difícil de lo que se podría pensar.
Puedo oír las voces de Roberto Copiota. Vive en la casa de al lado y se lo está pasando en grande, chapoteando en su piscina. No me extrañaría que la dejase medio vacía, con su manera de tirarse al agua salpicando.
Aunque no deseo hablar con Roberto Copiota, me apetece muchísimo darme un chapuzón en la piscina, porque me estoy cociendo como una langosta y de un momento a otro podría empezar a decir incoherencias. El calor puede tener esos efectos, si no te andas con cuidado.
Puede ocurrir, por ejemplo, que el cerebro quede tan afectado que te vuelvas totaaalmente loco.
Decido emprender una acción urgente para evitar esta posibilidad. Voy al jardín, me asomo por encima de la valla y digo: "Hola, Roberto. ¡Qué alberca tan maravillosa!".
Entonces él me contesta: "No es una alberca, es una laguna de recreo"❀. No es cierto, pero no le

❀ **Laguna de recreo** – Laguna artificial que tienen en su chalet los millonetis de Hollywood. Nada que ver con la piscinita de Roberto.

digo nada porque estoy deseando darme un baño refrescante.

Así que le sigo la corriente y digo: "Tiene un aspecto fenomenal. Nunca me he bañado en una laguna de recreo".

Y él dice: "¿Quieres probar?".

Por supuesto que quiero. Si no, no estaría hablando con él. Así que le digo, como quien no quiere la cosa: "Claro, ¿por qué no? Aunque sólo sea un remojón rápido".

Me pongo el traje de baño de competición, paso por encima de la valla y me sumerjo en el agua. Está bien los primeros cinco minutos, hasta que empiezas a sentir fresco. Me doy cuenta de mi error. ¿Y si Roberto se ha hecho pis dentro?

Por suerte, en ese momento me llama Mamá: "¡Ana! Te llama Alba por teléfono".

Mientras me marcho, digo: "Lo siento, Roberto. Tengo que ponerme al teléfono".

Y él grita: "¡De acuerdo! ¡Te espero!".

Me siento un poco culpable, porque sé que no voy a volver. Voy a plantarme en casa de Alba cuanto antes.

Alba está encantada, porque ha estado visitando la página web de Lara Guevara y resulta que la han actualizado y hay un montón de información nueva, con datos sobre la autora, Patricia F. Montes, aunque me doy cuenta de que no le han cambiado la foto y siguen con una de cuando era joven, cuando resulta que sabemos que ahora tiene unos 72 años.

También han publicado en la página web el código secreto※ de Lara Guevara, el mismo que usa en sus libros. Así que ahora es posible aprender a usarlo.

Al principio, parece un poco complicado y crees que nunca vas a ser capaz de cogerle el tranquillo, pero luego te das cuenta de que es muy fácil, porque lo único que hay que hacer es cambiar el significado de algunas palabras. Es como hablar en otro lenguaje y Alba y yo vamos a aprenderlo y así podremos hablar en secreto entre nosotras, sin que nadie más pueda entenderlo.

※ **El código secreto de Lara Guevara** - Por ejemplo, **tapioca = malo**, porque Lara detesta el pastel de tapioca. **Pizza = bueno**, porque la pizza está riquísima. **Perro sucio = problemas**, porque los perros sucios huelen fatal.

Cuando entras en la página web suena la voz de Pérez diciendo: "¡Bien hecho, joven!" que es lo que siempre dice en los libros.

Es el nuevo Pérez, el de la película de Hollywood.

Y se llama George Conway.

Alba dice: "Mira, han puesto también una foto de la chica que va a hacer de Lara en la película".

Se parece un poco a mí, pero con el pelo menos enredado que yo, y mucho más atractiva. Se llama Skyler Summer.

Yo digo: "Me encantaría llamarme Skyler Summer, suena bien. Alguien que se llame Skyler Summer tiene muchas más posibilidades de hacer películas en Hollywood que alguien que se llame Ana Tarambana Domingo".

Alba dice: "A mí me parece que Ana Tarambana Domingo es un nombre estupendo y suena a escritora o artista de teatro o algo así".

Puede que tenga razón y mi nombre no esté tan mal. Tiene gracia la fuerza de los nombres: según se llame una persona, te puede caer más o menos simpática. Es lo que decía don Felipe Washington, que lo que los nombres significan y cómo suenan puede tener su importancia.

Si no conoces a alguien, pero su nombre te gusta, supones que esa persona te va a caer bien. Por lo menos, al principio. Y si esa persona se llama, por ejemplo, Rubén Ríos, pues sabes que es un tipo maravilloso.

Y si alguien tiene un nombre extraño, entonces lo recuerdas mejor.

Los nombres son muy importantes. Quiero decir, que cuando a alguien le conocen como Dédalus "el archivillano", pues ya te imaginas lo peor.

El nombre de don Felipe Washington me da ganas de ir a Washington, porque suena bien y hace que me pregunte si esa ciudad me gustaría.

Mi nombre es tan poco corriente que la gente casi siempre se acuerda de mí.

Y esto puede ser bueno o puede ser malo. Depende.

Vuelvo de casa de Alba paseando tranquilamente por la calle del Olmo, mientras intento pensar en algún otro nombre mejor que Ana Tarambana y,

de pronto, oigo un grito que procede de una

cabina de teléfono. Y cuando voy a pasar de largo,
la puerta de la cabina se abre de golpe y Carlitos
Terremoto sale corriendo.
Se vuelve un momento y me
ve y yo le veo a él y me parece
que tiene cara de estar a punto de echarse a llorar.
Me parece que me va a odiar por haberlo visto
así. Se marcha corriendo tan deprisa que no me da
tiempo a decirle nada, en el caso de que se
me hubiese ocurrido algo que decir.
Veo que en el suelo ha quedado un rastro
de trocitos de papel. Los recojo y
reconstruyo el papel como si fuera un
rompecabezas y me sale el número
627 445 869 y debajo del número hay
dibujada una carita sonriente.
Y sé lo que es. Es el teléfono del padre de Carlitos.

A veces hay cosas
que la gente nunca sabrá
que las sabes

El lunes, Carlitos ni siquiera me mira, ni mucho
menos me dice hola.

Me hace sentir fatal, así que me alegro cuando veo
que nos toca clase con don Felipe. Nos manda a
todos hacer un dibujo de lo que tenemos dentro
de la cabeza. No se refiere a un dibujo de lo
que tenemos en el interior de la cabeza, los sesos
y todas esas porquerías. Quiere decir todo ese
torrente de pensamientos que tenemos cuando
estamos hartos de algo o enfadados o contentos o
aburridos.

A ver cómo se dibuja eso.

Es estupendo dibujar, porque no hay cosas que
estén bien o que estén mal. Don Felipe dice que es

difícil que haya cosas que estén totaaalmente mal o totaaalmente bien, cuando somos nosotros mismos los que tenemos que decir qué es lo que tenemos en nuestra propia cabeza.

Dice: "En ocasiones, un error es lo que te enseña a hacer algo bien. Así que, ¿cómo puede ese error ser una equivocación?".

Y, por supuesto, tiene razón.

¿Cómo puede un error ser una equivocación?

Una vez que estaba haciendo caramelos blandos, por error, los tuve demasiado tiempo en el fuego y se convirtieron en *toffees*. No hubiera aprendido a hacer *toffees* si no me equivoco con el fuego.

Aprendemos cosas todo el tiempo.

Es lo que dice don Felipe. Y entiendo lo que quiere decir, que no paro de aprender. Aprendo cosas mientras voy andando por la calle y también aprendo cosas cuando estoy dormida, porque las cosas entran y salen flotando de mi cabeza.

Incluso aprendo cosas al leer un libro de Lara Guevara que escondo bajo el pupitre, durante la clase de la señorita Olga.

Don Felipe dice: "Es bueno saber leer y escribir, porque nos ayuda a comunicarnos. ¿Y dónde estaríamos sin números? No podéis confiar siempre en las calculadoras para hacer vuestras cuentas".

Es cierto. Sin números, ¿cómo íbamos a saber nuestra edad? Y tenemos que estar preparados y saber sumar, porque ¿qué hacemos si un día se estropea la calculadora?

Don Felipe dice: "También hay otras muchas cosas igual de importantes. Muchas de ellas las aprendemos por accidente".

He aprendido accidentalmente un montón de cosas nuevas y todo el tiempo estoy aprendiendo.

Una cosa que he aprendido en la clase de don Felipe es que las estrellas siempre están ahí, pero sólo las vemos cuando está oscuro.

Una cosa que he descubierto por accidente es que te puedes quemar con el sol incluso en un día nublado.

Se lo digo a don Felipe: "Yo desearía de tooodo corazón ser capaz de comunicarme, pero está el problema de la ortografía. Porque hay palabras como baca y baca, que parecen iguales pero no significan lo mismo, así que no se me ocurre cómo distinguirlas. Quiero decir que resulta confuso, porque una significa *maletero* o *portaequipajes*, mientras que la otra es *la fruta del laurel*".

"Para complicarlo más todavía, también hay palabras que se pronuncian igual, pero se escriben distinto, como baca y vaca. En la baca del coche pones todas las bolsas de ropa y la sombrilla cuando vas de vacaciones, pero en una vaca apenas se puede colgar de los cuernos una o dos chaquetas. No tiene sentido. Las palabras no deberían pronunciarse igual si no se escriben igual".

Don Felipe dice: "AT, eso está muy bien visto. Reconozco que puede resultar complicado y que no es tan fácil, pero puede ser que sea cosa de pensar en la ortografía como si fuera algún tipo de código con muchas reglas secretas. La cuestión es romper el código y encontrar la forma de *recordar* las reglas".

Me parece una idea bastante útil y la apunto en mi cuaderno de Lara Guevara.

Considerar la ortografía como una especie de código me hace pensar en Lara Guevara. Ella sabe muchos códigos, me pregunto cómo los habrá aprendido.

Yo sólo estoy intentando aprender uno, el lenguaje normal. Y lo encuentro bastante difícil.

Si yo fuera la persona que inventó la ortografía, lo habría hecho bastante mejor.

Por ejemplo, la palabra té, se escribiría T.

El martes, don Felipe intenta ayudarnos para el concurso-colmena de ortografía y escribe en la pizarra:

NUEBE VUITRES BOLAVAN EN ZÍRKULO MIENTRAS HOCHO IPOPÓTAMOS EXZITADOS VAILAVAN INKOERENTEMENTE.

Luego dice: "Esta frase está llena de palabras con faltas de ortografía, aunque al leerla en voz alta no se aprecie la diferencia. ¿Alguien se atreve a corregir lo que está mal?".

Inmediatamente varias manos aparecen levantadas, pero don Felipe señala a Carlitos Terremoto. Me sorprende que Carlitos se ofrezca voluntario, normalmente nunca levanta la mano, aunque conozca las respuestas.

Sin embargo, es bastante bueno con la ortografía. Hace bastantes cambios en la frase y la deja así:

NUEVE BUITRES VOLABAN EN CÍRCULO MIENTRAS OCHO IPOPÓTAMOS EXCITADOS BAILABAN INCOHERENTEMENTE.

Don Felipe dice: "Buen trabajo, Carlitos. Casi, casi perfecto. Pero te has dejado una falta de ortografía.

¿Sabe alguien cuál es?".

Levanto la mano para decirle a don Felipe
que yo lo sé. ¡Yo lo sé! ¡Sé cómo se escribe la
palabra hipopótamo! Me quedo
contemplándola todas las noches en el póster
de mi habitación. Y a pesar de que Carlitos sabe
mucha ortografía, no sabe que hipopótamo se
escribe con H y yo sí. Me da un poco de cosa,
ahora que Carlitos está así conmigo, pero quiero
que todos sepan que yo sé cómo se escribe
hipopótamo.

Por fin, don Felipe se fija en mí y dice: "Bien,
AT, dinos: ¿qué falta de ortografía se le ha colado
a Carlitos?". Y yo estoy a punto de decir la
respuesta correcta cuando...

Don Jacinto, el celador, asoma su cabeza por la
puerta y dice: "Perdón por interrumpir. Mañana
van a empezar las obras para reparar el techado
del patio trasero, así que no vamos a poder usarlo
durante una temporada y estará prohibido el paso.
Sacad todas las bicis del cobertizo los que las hayáis
dejado allí, porque de lo contrario no podréis
recuperarlas al menos en dos o tres semanas".

Luego se marcha.

Y suena el timbre, señal de que la clase ha terminado.

Todo el mundo se marcha.

Y me quedo sin decir la única palabra difícil que puedo deletrear de memoria.

A veces conviene resistir y esperar los acontecimientos

La señorita Olga nos encarga un trabajo para casa con el título "Mi fin de semana". Quiere que escribamos una redacción sobre lo que hicimos un fin de semana cualquiera, por ejemplo, el fin de semana pasado.

Carlitos dice que no piensa hacerlo. La señorita Olga pregunta: "¿Por qué no?".

Recuerdo la escena del domingo, cuando vi a Carlitos salir de la cabina de teléfono. Seguro que no le gustaría hablar de ello.

Carlitos dice: "Porque lo que yo hiciera durante el fin de semana es asunto mío. Y nadie va a meter sus narices en mi vida privada".

La señorita Olga dice: "No seas ridículo, harás la redacción igual que todo el mundo".

Carlitos dice: "No puede usted obligarme".

La señorita Olga dice: "Eso ya lo veremos, Carlitos Terremoto".

Suena el timbre de la hora y Carlitos sale disparado de la clase. La señorita Olga le grita: "¡Pienso llamar a tu madre!".

Carlitos responde: "¡HASTA LUEGO!".

La señorita Olga le grita:

"Carlitos, que sepas que mañana te conviene traer hechos los deberes,

o vas a tener problemas serios...

TE LO ADVIERTO".

Carlitos se vuelve un momento y puedo ver su cara. ¡Uf! No quisiera ser la señorita Olga.

Vuelvo a merendar en casa de Alba. Las dos nos preguntamos cuál será la próxima que haga Carlitos, porque estamos totaalmente seguras de que hará alguna. Me siento impotente y no sé qué hacer.

Quisiera ayudarlo, antes de que la cosa vaya demasiado lejos.

Pero ya no me hace caso.

Cuando Alba y yo llegamos a su casa, subimos a la cocina para preparar unos sándwiches y encendemos la televisión, porque hoy toca episodio de Lara Guevara.

También vamos a ver el programa sobre investigación, porque nos encanta.

Lo que más me gusta de la serie de televisión de Lara Guevara es que te engancha y te preguntas cómo va a librarse del riesgo mortal que está corriendo y me pasaría todo el tiempo sentada en una silla o encima de un cojín viendo cómo, por muy terrible y desastrosa que sea la situación, el bueno de Pérez la afronta sin perder nunca la calma y sin que se le despeine ni un pelo.

Lara casi siempre pierde sus gafas y Pérez, no sé cómo, siempre se arregla para encontrarlas.

En este episodio, titulado

¿Me oyes, Rubén Ríos?

Rubén Ríos va en bici por un camino, porque ha recibido un mensaje de Lara que dice: "Nos vemos en el viejo granero".

Pero no se trata de un mensaje de Lara en modo alguno, aunque Rubén lo crea así. En realidad se trata de una trampa del malvado villano, el Conde Von Vizconde. Y Lara se concentra ante el transmisor de radio, porque tiene que avisarle de la malévola jugada que el Conde Von Vizconde está preparando.

Lara habla por el walkie-talkie y dice: "Rubén, ¿me recibes? ¡Estás en peligro! No sigas. Regresa. Cambio".

Y Rubén no puede escucharla ni responder, porque Dédalus ha interferido su walkie-talkie. Y la desesperación de Lara aumenta por momentos, pero sigue insistiendo: "Rubén, ¿me oyes? Rubén, ¿puedes oírme?"

Cuando Rubén entra en el granero empieza a sospechar que algo va mal y se da cuenta de que ha perdido el contacto por radio y mira hacia la puerta y dice: "¿Dónde estás, Lara? ¿Dónde rayos te has metido?"

Lara le dice a Pérez: "No me escucha. No hay manera de comunicar con él. ¿Por qué habrá apagado su walkie-talkie? Pérez, él nunca haría eso.

Va contra una de las principales reglas: **NUNCA APAGUES EL WALKIE-TALKIE"**.

Pérez parece preocupado. Con una ceja, hace ese movimiento que siempre hace cuando está preocupado y por eso sabes que está preocupado, y dice: "¿Y si no ha sido él quien ha apagado el walkie-talkie? ¿Y si ha sido otro?".
Entonces Pérez mira a Lara y Lara mira a Pérez y luego Lara mira hacia fuera de la pantalla de televisión y dice: "No os preocupéis. Rubén sabe cuidarse muy bien y no hace estupideces".
Y Rubén sigue solo en el granero. Bueno, parece que está solo hasta que podemos ver la sombra de una mano, mientras Rubén dice para sí mismo: "Ay, Lara, quisiera que estuvieras aquí. Tú sabrías qué hacer".
Y entonces Pérez mira hacia los espectadores y dice: "Resiste, chico. Vamos a sacarte de ahí".
No sabes qué es lo que va a hacer Lara, pero está claro que va a hacer algo y adivinas que es ahí donde acaba el episodio, porque te deja muriéndote de ganas de saber cómo continúa.

Después, Alba empieza a hablar de la serie de detectives que quiere que escribamos. Yo no estoy segura de ser capaz, pero Alba le pregunta a su mamá, Tere, qué le parece. Tere es escritora.

Alba dice: "Mamá, ¿tú crees que Ana y yo podríamos escribir un libro?".

Y Tere dice: "Sí, claro. Cualquiera puede escribir un libro. La cosa está en escribir un buen libro".

Alba dice: "¿Crees que Ana y yo podríamos escribir un buen libro?".

Y Tere dice: "Hay que tener algo que contar y una manera interesante de contarlo".

Alba dice: "¡Eso significa que sí! Tenemos montones de cosas que contar, muchísimas. Y si Ana y yo siempre nos hemos encontrado interesantes, pues seguro que también se lo pareceremos a mucha más gente".

De camino a casa, voy pensando en lo que ha dicho Tere sobre escribir. Es cierto, *yo tengo* cosas que contar, aunque en mi vida no suceda nada especialmente interesante.

Y pienso que mi ortografía seguramente ha mejorado, ahora que he estado echándole horas a estudiar el diccionario. Lo he hecho sobre todo porque no quiero quedarme pasmada delante de todos durante el concurso de ortografía.

Lara Guevara dice: "Puedes conseguir cualquier cosa, si pones en ello todo tu empeño". Eso es lo que me gusta de Lara Guevara, que va a por todas. No se asusta de intentar nada y tiene cabeza y es buena corredora y todavía mira como una niña inocente y es endemoniadamente atractiva y además es la más divertida... No como todas esas chicas que entran en El Cogollo y piensan que Gus es graciosísimo.

Puedes apostar lo que quieras a que si Lara Guevara entrara en El Cogollo, sería Gus quien se reiría con los chistes de Lara.

Voy caminando de regreso a casa y tengo que pasar por delante del colegio y voy totaaalmente distraída y absorta en mis pensamientos cuando me sobresalta un ruido desconcertante.

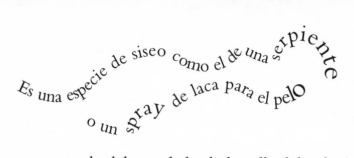

Es una especie de siseo como el de una serpiente o un spray de laca para el pelo

que procede del otro lado de la valla del colegio.
Debe de haber alguien en el patio, pero ¿por qué?
¿Qué están haciendo? ¿Cómo han entrado ahí?
Anotaré todo esto en mi cuaderno más tarde,
ahora no tengo tiempo de abrirlo de nuevo y
además no quiero perderme nada.

Quiero enterarme de lo que pasa, así que me aúpo
en la tapia, apoyando un pie en unos ladrillos que
sobresalen un poco. Intento alzarme hasta arriba,
pero el pie me resbala y se me desolla la rodilla y
con el susto suelto el cuaderno de notas y se me
cae al otro lado.

El ruido de serpiente ha cesado y ahora escucho
el sonido de una lata o de algo metálico que cae
al suelo y rebota. Después oigo a alguien que se
marcha corriendo muy deprisa. Sí que no se trataba
de una serpiente.

Veo que mi rodilla no tiene buen aspecto. Está
raspada y sangra. Voy a tener que volver a casa

cojeando, porque no tengo walkie-talkie para pedir
ayuda y no está Pérez para recogerme y llevarme a
casa en limusina.

Ahora no podré saber quién estaba ahí y lo que
hacía. A no ser que mañana encuentre alguna pista.
Pero no puedo escribir nada de esto, porque me
he quedado sin el cuaderno.

A veces, cuando hace falta que las cosas mejoren, van y empeoran

Por supuesto, al día siguiente me planto en el colegio con intención de rescatar mi cuaderno de notas de Lara Guevara, antes de que alguien lo encuentre. Aunque tengo la llave especial colgada del cuello, no quiero correr el riesgo de que nadie lo robe, porque es el clásico objeto que a todo el mundo le gustaría poseer. Es una tentación.

El problema es que cuando intento pasar al patio, me encuentro con que lo han vallado por completo y entonces recuerdo lo que dijo don Jacinto. Nos advirtió que esto iba a ocurrir y que iban a venir obreros. No me queda más remedio que esperar y es posible que nunca vuelva a ver mi cuaderno de notas de Lara Guevara. Quién sabe...

Después de comer, las cosas empeoran todavía más y sucede algo verdaderamente horroroso.

Llega la señorita Olga y dice: "Espero que todo el mundo se haya acordado de hacer la redacción sobre el fin de semana, porque durante la clase las vamos a leer todas en voz alta".

Mientras dice esto, no le quita los ojos de encima a Carlitos Terremoto. Carlitos está sentado con los brazos cruzados y ni siquiera ha abierto la mochila.

La señorita Olga se dirige a él y le dice: "Bueno, Carlitos, vamos con ello".

Carlitos dice: "No".

La señorita Olga dice: "¿Qué piensas que te hace tan especial?".

Él dice: "Nada".

La señorita Olga dice: "Bien, entonces ya puedes empezar a leer tu redacción".

Carlitos dice: "No voy a leer nada, porque no he hecho la redacción".

La señorita Olga dice: "Me parece que no entiendo bien lo que has dicho, porque si no recuerdo mal, ayer te dije muy claro que trajeras hechos los deberes".

Carlitos dice: "Usted no puede obligarme a escribir sobre mi vida privada y no pienso hacerlo".

La señorita Olga dice: "Tú harás lo que yo te diga, jovencito".

Entonces Carlitos dice:

"NO le voy a hablar a nadie sobre mi **vida privada,** así que **DEJE DE METER LAS NARICES** en lo que no le importa. Estoy **HARTO** de usted. **Estoy HARTO** de este **colegio."**

Carlitos está totaalmente fuera de sí y de un manotazo tira todas las cosas de su pupitre y tira la silla al otro lado de la clase y comienza a gritar y gritar.

Toda la clase se queda muy callada y a la señorita Olga se le pone la cara muy pálida. Con voz un poco temblorosa dice: "Para ya de una vez, Carlitos", pero no lo dice muy alto, porque parece muy impresionada.

Y Carlitos se tira del pelo y patalea y no cesa
de repetir: "Nadie se va entrometer en mi vida
privada, nadie. Yo soy quien decide a quién le
cuento las cosas. Es asunto mío y de nadie más".
Aterrada, la señorita Olga sale de clase y vuelve
al cabo de un minuto con don Felipe, que entra
y le habla a Carlitos con voz calmada: "Carlitos,
¿te vienes a dar un paseo?" y él simplemente se
tranquiliza de pronto. Carlitos mira a don Felipe y
asiente con la cabeza. Don Felipe se vuelve hacia la
señorita Olga y dice: "Me lo llevaré de aquí".
La señorita Olga asiente también sin decir nada,
porque probablemente no sabe qué decir.
Y cuando salen nadie dice nada.
Un poco más tarde, don Braulio nos pregunta:
"¿Sabe alguien a qué viene todo esto?".
Yo no digo nada, porque estoy intentando tener
mi boca cerrada y aunque conozco la causa del
disgusto de Carlitos Terremoto, él me dijo que
no contara nada, así que no voy a hablar. Pero me
gustaría poder contarlo.
Porque ¿cómo le voy ayudar si no lo cuento?

Algunas cosas son **verdad**, pero no son **totalmente ciertas**

14

Don Braulio le ha dado a Carlitos Terremoto su último aviso.

No va a tener más oportunidades, y eso que don Felipe intentó mediar en el asunto.

Esto lo sé porque he oído a la señorita Marcia, la secretaria del colegio, cuando se lo contaba a la señorita Olga.

Significa que a la próxima que haga Carlitos se deberá marchar, definitivamente expulsado del colegio. Y eso me pone triste, a pesar de que Carlitos ya no quiera ser mi amigo.

El colegio no será lo mismo sin él.

Al llegar a casa, pongo la tele corriendo y me siento para ver Lara Guevara.

Todavía no es hora de merendar y me muero de hambre. Y mi barriga está haciendo tantos ruiditos que me delataría si estuviera escondida detrás de un seto espiando a alguien.

Por eso Lara Guevara siempre lleva en su mochila sus galletas especiales. Según los anuncios, son "altamente nutritivas y quitan la sensación de hambre". Las venden en los supermercados.

Mamá no las compra casi nunca porque dice que todo eso es basura comercial y que lo que pagas es lo que se gastan en el envase. Me encanta el envase, es lo que más me gusta. Compraría cualquier cosa donde estuviera el retrato de Lara Guevara. Hoy toca el episodio titulado

Resiste ahí, muchacho

Lara se encuentra en una situación apurada, tratando de rescatar a Rubén Ríos. El Conde Von Vizconde ha soltado unos perros para que sigan su rastro y, todavía más grave, a su bicicleta especial con cohetes propulsores se le ha pinchado una rueda, así que tiene que deshacerse de ella y correr como loca para poder escapar.

Y aunque Lara Guevara es la mejor corredora
de su colegio, ¿podrá correr más deprisa que los
perros? Claramente no. No creo que nadie corra
más deprisa que un perro. Excepto que se trate de
un perro salchicha.

Salchicha + Perro = Perro salchicha

Y no hay manera de esconderse de los perros, ya
sabes cómo son... Grandes rastreadores, que te
encontrarán dondequiera que vayas, por mucho
que corras. Son capaces de seguirte y olfatear tu
rastro incluso en un río.

Carlitos Terremoto dice que si quieres despistar a
un perro, lo que tienes que hacer es confundirlos
con diferentes aromas, de manera que ya no saben
qué es lo que están siguiendo.

Por suerte, Lara sabe todo esto y ha traído con ella
un par de calcetines superapestosos, que cuelga

de un ciervo que pasaba por allí y sale huyendo asustado. Por supuesto, los perros lo persiguen, pensando que se trata del rastro de Lara.

Luego se pone un spray desodorante especial, que elimina por completo su olor corporal y le proporciona un aroma fresco a arbusto del bosque, de modo que Lara ya no es localizable.

Esto es lo que considero una idea sorprendente. A mí nunca se me ocurriría algo así.

Entonces Lara dice: "Oled eso, estúpidos".

Me encanta ver la serie de Lara Guevara porque es como si me transportara... Me siento casi como si fuera ella.

Y me encuentro a mí misma diciendo cosas como: "Qué passsa, colega" y "Vaya muermo". Tiene una forma muy suya de hablar. Estoy tratando de perfeccionarme.

El otro día cuando volví de casa de Alba, mi papá estaba leyendo el periódico con las gafas puestas y mi mamá estaba haciendo punto y Manu Chinche estaba diciendo algo sobre los rollos de papel higiénico y yo dije: "¿Qué hay de nuevo, frikis?".

Y Papá levantó una ceja por encima del periódico

y dijo: "Celebro que lo consiguieras, jovencita".

Y yo dije: "¿Cómo es que sabes esa frase de Pérez?".

Y me dijo: "Bueno, JOVENCITA, todos los días se aprende algo NUEVO", que es exactamente lo que Pérez habría dicho.

Y yo dije: "Has dado en el clavo", que es exactamente lo que Rubén Ríos habría dicho.

Y Mamá dijo: "Puedes apostar por ello, chaval", que es exactamente lo que Lara Guevara habría dicho.

Y Manu dijo: "¿De qué estáis hablando?", que es exactamente lo que se puede esperar del gusano de mi hermano.

Estoy sentada viendo la serie de Lara Guevara, pero durante los anuncios siempre tengo una antena desplegada para captar cualquier información intrigante. A veces puedes enterarte de cosas altamente secretas mientras estás viendo la televisión y nadie piensa que puedas estar escuchando.

Puedo oír al Abuelo hablando con nuestro

creep

perro, Cemento. Dice: "¿Verdad que te gustaría un trozo de carne? Seguro que sí. Voy a cortar un trocito de cada filete y así nadie se dará cuenta. Pero no se lo digas a nadie, ¿de acuerdo?".
Entonces oigo el ruido que hace un perro grande cuando traga y también el ruido de alguien que camina arrastrando las zapatillas.

Vuelvo a ver anuncios, hay uno de los espaguetis de Lara Guevara; salen trozos de espagueti formando palabras típicas del vocabulario de Lara, como "chachi", "guais" o "super".

A veces Pérez, el mayordomo de Lara, escribe mensajes secretos con los espaguetis. Los padres de Lara viven totalmente ajenos —*que no están al tanto, que no prestan atención, o que no tienen que nada que ver*— a la actividad de su hija como agente secreto.

Durante la cena, Mamá dice: "Últimamente Carlitos no viene mucho por aquí, ¿qué tal le va?".

Yo digo: "Se ha vuelto a meter en problemas y don Braulio ha dicho que va a tener que decirle que se marche del colegio y se vaya a otro, porque ya no puede hacer más y si Carlitos persiste en su conducta inexplicable, entonces no va a tener más remedio que escribir una carta a su madre, explicándole que tiene que buscar otro colegio para su hijo y él no desearía llegar a esto, pero tiene que pensar en el resto de los alumnos y lo que es mejor para ellos y es una pena, de veras que lo es, es lo que la señorita Marcia le dijo a la señorita Olga que don Braulio le había dicho a Carlitos".

Mamá dice: "Caramba, la verdad es que cuando quieres sí sabes escuchar".

Yo digo: "Es que es la clase de información que me interesa".

Mamá dice: "¿Y qué crees que va a pasar?".

Y yo digo: "Bueno, don Braulio lo tiene difícil, porque Carlitos no quiere hablar con nadie, y así nadie puede conocer sus problemas".

Mamá dice: "¿Qué problemas tiene Carlitos?".

Y yo digo: "Carlitos no quiere que lo cuente".

Mama dice: "Ya veo el problema".

Cuando Mamá nos sirve los filetes, dice: "Juraría

que cuando los he comprado esta mañana parecían mucho más grandes".

Veo que el Abuelo pone cara de anciano venerable, como si no le hubiera dado nuestra cena al perro. No me chivo, porque no me gusta la gente que se chiva de la gente y él, además, se vería en problemas serios y a mí me gusta mi abuelo como es, aunque mi filete acabara tan reducido como un panchito.

Una de las reglas de Lara Guevara dice que **LA MALA SUERTE DE ALGUIEN PUEDE SER TU BUENA SUERTE.** Y creo que podría tener razón.

Esta mañana en el colegio estuve escuchando cosas por casualidad, que ojalá pudiera haber escrito en mi cuaderno de notas de Lara.

He oído a Susanita Pardo decirle a Beatriz Olmedo que había "escuchado a Ester Moreno decir que al parecer la madre de Vanesa García había llamado a su madre esta mañana para decirle si no le importaba recoger a Vanesa, porque la noche anterior tuvieron que llamar a una ambulancia porque Vanesa se había resbalado cuando estaba practicando los movimientos de baile de su papel en **SONRISAS Y LÁGRIMAS** y se rompió un tobillo y ahora tiene que andar con muletas".

Esto me hace pensar que no falta mucho para la función de teatro del colegio... ¿Se curará el tobillo a tiempo?

Y si no, ¿quién interpretará el papel de Liesl? Adivina quién se sabe ese papel de memoria.

Camino de clase, paso junto a Carlitos, pero no me mira y se pasa todo el día callado.

Más tarde, en clase, estoy todo el tiempo esperando a que la señorita Olga nos dé la noticia, pero no lo hace. Así que en el último momento me veo obligada a preguntarle, porque tengo una necesidad tremenda de saberlo. Y digo: "Señorita Olga, ¿quién va a hacer el papel de Liesl, si Vanesa se ha roto un tobillo y tiene que andar con muletas?".

La señorita Olga dice: "Eso depende. Alguien que se sepa el papel".

Y yo digo: "Yo me sé el papel".

He estado aprendiéndome el papel de Liesl como loca, porque don Felipe dijo que es una buena manera de ejercitar la memoria.

Y entonces la señorita Olga se hace la remolona y dice: "Bueno, no vamos a discutirlo ahora, porque no sabemos si Vanesa se curará o no a tiempo para la obra de teatro".

Y Alba dice: "Pero, señorita Olga, un tobillo roto tarda en curarse entre seis y ocho semanas, así que no queda tiempo para que Vanesa se cure el suyo y está claro que para interpretar el papel de Liesl va a necesitar los dos tobillos, no podrá hacer los saltos sólo con uno".

Y la señorita Olga zanja la cuestión: "Seré yo quien juzgue si los tobillos de alguien pueden o no pueden hacer ese papel. Muchas gracias".

Más tarde, estoy en casa, a punto de descubrir que la palabra ansiedad no se escribe con **H**, cuando suena el timbre de la puerta. El Abuelo va abrir y es Carlitos Terremoto, que viene a buscarlos a él y a Cemento para la sesión de entrenamiento.

Oigo decir al Abuelo: "Ana está dentro. ¿La llevamos con nosotros también?".

Y Carlitos dice: "Es mejor que no haya demasiada gente, porque el perro puede distraerse si hay mucho lío a su alrededor".

Cosa que tal vez sea cierta, pero no es toda la verdad.

¿Puede ser **bueno** decir **alguna** mentira?

Don Felipe nos anima a que contemos por escrito los principales acontecimientos de nuestras vidas. Dice que las grandes cosas no tienen por qué ser lo que haga interesante la lectura. Dice que a veces, lo más fascinante son las pequeñas cosas que nos suceden cada día.

Puede ser que tenga razón.

Le digo que una mañana típica en mi casa es algo así como esto:

"¡Socorro! ¿Quién me ha robado los zapatos?".

"Manu se ha comido una tijereta".

"Papá, el gato se ha caído en el retrete".

Papá, a esas horas de la mañana, es que ni parpadea. Tan sólo dice: "Las tijeretas son muy nutritivas".

Don Felipe dice: "¿La respuesta de tu padre no te dice mucho sobre su carácter?".

Yo digo: "Sí, es el tipo de persona al que no le gusta sacar un gato del retrete".

Don Felipe dice: "Sí, es verdad. Pero también es una persona imperturbable, no está dispuesto a permitir que una tijereta le amargue la vida. Apuesto a que es un hombre que sabe comportarse en un caso de emergencia".

Eso es cierto. Aquella vez que el Abuelo se quedó encerrado por accidente en el cuarto de baño, mantuvo la sangre fría y fue directamente a llamar al tío Luís, que es experto en rescatar a la gente de los cuartos de baño.

Aunque el tío Luís tardó en llegar 42 minutos aproximadamente, Papá dijo que no había que alarmarse, porque el Abuelo se encontraba en el mejor lugar donde puede estar un hombre con la vejiga floja.

Papá incluso sacó una escalera y se las arregló para pasarle al abuelo unas galletas por el ventanuco del cuarto de baño.

Así que don Felipe tiene razón. Papá no es un histérico.

Escribo todo esto porque don Felipe ha hecho que
me dé cuenta de que es mucho más interesante
de lo que había pensado, y podría ser una buena
historia.

Me doy cuenta de que Carlitos no escribe nada.
Estoy empezando a inquietarme, por si a Carlitos
le da por repetir el número de la otra vez.
Don Felipe dice: "¿Qué pasa, Carlitos?".
Carlitos dice: "No voy a escribir nada
sobre mi vida privada".
Y cuando dice esto, el silencio puede
escucharse en el aire de la clase.
Pero don Felipe dice: "No hay problema,
Carlitos. Vamos a hacer una cosa. Escribe sobre
la vida privada que te gustaría tener. No sé nada
sobre ti. Si me dices que eres del planeta Zoot,
¿cómo podría saberlo?".
Carlitos dice: "No hay ningún planeta que se llame
Zoot❋".
Y don Felipe dice: "¿Ves? Otra cosa que tampoco
sabía. Estoy aprendiendo todo el tiempo".

❋ **Zoot** - No hay ningún planeta que se llame así. Algunos nombres de
planetas son: Tierra, Mercurio, Júpiter, Marte, Venus, Saturno, Urano...

A Carlitos parece gustarle la idea y termina escribiendo algo verdaderamente bueno. Luego, don Felipe lo lee en voz alta delante de toda la clase, como ejemplo de buena redacción.

Y me doy cuenta de que Carlitos intenta no parecer complacido, pero aseguraría que sí lo está.

Es una historia sobre un perro y un anciano, al que un niño está intentando enseñar a comportarse, pero el perro y el anciano han sido hipnotizados por una malvada bruja con gafas y con los pies como pezuñas, que intenta dominar el mundo haciendo que todos los perros del universo ladren al mismo tiempo y hagan que la gente se vuelva loca.

Es un cuento muy ingenioso y, al menos una parte, me parece real.

Don Felipe nos hace preguntas sobre el cuento de Carlitos, por qué es bueno y qué parte es la que más nos ha gustado.

Y Susanita Pardo dice: "Está bien pensado, porque con el ruido de todos los ladridos no podremos concentrarnos para pensar, ni se podrá escuchar a nadie y será como si nos volviéramos todos locos y si todos estamos así, desde luego que alguien podría intentar dominar el mundo".

Me gustaría decir algo, pero me siento incómoda porque Carlitos ya no quiere nada conmigo. Así que mantengo la boca cerrada.

Noé dice que le gusta la descripción del personaje de la bruja malvada, con sus pies como pezuñas y Carlitos parece realmente complacido y se le adivina una sonrisa.

Y me hubiera gustado haber sido yo quien lo dijera.

En casa, pienso sobre cómo escribir y cómo inventar algo, y veo que puedo usar cosas que ocurrieron realmente, pero haciéndolas un poco distintas y mezclándolas al mismo tiempo. Algunas cosas serán reales y otras serán inventadas, pero ¿quién distinguirá lo real de lo inventado?

Una vez vi una película sobre una mujer que todo lo que decía eran cosas inventadas. Todo.

Y la gente la creía, porque ella les gustaba. Y todo estaba bien, no eran mentiras malvadas, sino mentiras divertidas.

Es decir, que lo que hacía era inventar cosas y eso la hacía más interesante.

Y un hombre se enamoró de ella, porque le parecía muy interesante y, aunque no fueran ciertas todas las *cosas interesantes* que ella decía que había hecho, resulta que ella seguía siendo interesante porque se había inventado cosas interesantes.

A veces no tienes ocasión de hacer realidad todas esas cosas que sueñas, pero eso no significa que no seas una persona fascinante.

Seguramente, si eres capaz de imaginar que haces todas esas cosas tan emocionantes, eso mismo te hace más atractivo, porque estás utilizando tu cerebro para imaginarlo.

Y de eso es de lo que trataba la película, de viajar con la imaginación.

Es un poco como cuando tienes un sueño y te sientes como si realmente hubieras hecho algo como montar a caballo, aunque no lo hayas hecho.

Así que si soy capaz de contar a alguien qué se siente cuando bajas al galope por la ladera de una montaña en Holanda (país en el que nunca he estado), entonces eso seguramente es fascinante, porque me lo he inventado totaaalmente.

Cuando llego a casa, observo que Mamá está asomada, hablando con nuestra estúpida vecina, la señora Martínez y escucho que la señora Martínez dice: "¿Te gusta la nueva estatua del jardín?".

Es una rana sujetando un paraguas.

Y escucho a Mamá decir: "Sí, claro, Lalita. Es... deliciosa".

Lo que me consta que no es totaaalmente cierto, porque ayer oí decir a Mamá que es una estatua horrorosa. Y cuando le pregunto a Mamá por qué dijo semejante mentira, ella me responde que, a veces, los sentimientos de la gente están por encima de lo que de verdad opinemos.

Y yo digo: "Así que está bien decir mentirijillas, en la medida en que pueda haber una razón que las justifique".

Mamá dice: "No significa que mentir esté bien. Por ejemplo: si te zampas todas las galletas de

chocolate y luego dices que ha sido Manu, pues no
está nada bien".

¿Cómo ha podido enterarse de eso?

Como se han terminado las galletas de chocolate,
me entretengo con un mendrugo de pan mientras
veo en la tele el siguiente episodio de Lara
Guevara, titulado

NO TE PREOCUPES, RUBÉN RÍOS.

Lo que sucede es que Rubén Ríos ha tenido un
problema con el señor Seco, el vecino de Lara. El
señor Seco está furiosísimo, porque ha pillado
a Rubén pisoteando dentro de su macizo de
rosas.

El señor Seco no lo sabe, pero Rubén está
instalando un sistema especial de antena
detectora-transmisora. Está camuflada en una
mosca, una idea muy inteligente, por supuesto.
No estoy muy segura de cómo funciona, porque
Manu ha tenido una rabieta al descubrir que no
quedan galletas de chocolate y con sus quejas no
he podido escuchar bien la tele.

De todas maneras, seguro que tiene que ver con

alguien que en alguna parte está conspirando para dominar el mundo.

Es lo mismo, porque el señor Seco está enfadado de verdad y va a llamar a la policía y está sujetando a Rubén de una oreja, y parece que le duele.

Por suerte, Lara Guevara se encuentra muy cerca y aparece simulando que le falta el aliento porque ha llegado corriendo, y dice: "¿Lo has atrapado, Rubén?"

RUBÉN: "¿Uh? ¡Au! Mmmm..."

El señor Seco todavía tiene sujeta la oreja de Rubén, que mira de reojo a Lara, intentando entender qué quiere decir.

SR. SECO: "¿Atrapar? ¿Atrapar qué?"

El señor Seco tiene aspecto de estar desconcertado y de no entender nada.

LARA: "Ah, hola, señor Seco. Rubén vio ese roedor gigante que se metía en sus arbustos de rosas y mi padre dice que siempre hacen estragos en los rosales. Vamos, que con que se les deje unos segundos, ya puede usted olvidarse del premio a la mejor rosa, ya sabe lo que quiero decir. Por suerte, Rubén lo vio y prácticamente voló a su patio para intentar atraparlo. ¿Verdad, Rubén?"

RUBÉN: "Uh, sí, esto..."

LARA: "Y Rubén odia a esos grandes roedores. ¿Verdad, Rubén?"

RUBÉN: "Los odio, sí".

El señor Seco no sabe qué decir.

LARA: "¿Lo atrapaste, Rubén?"

A estas alturas, el señor Seco se ha tragado el anzuelo totaaalmente y escucha con atención todo lo que Lara y Rubén dicen.

SR. SECO: "Sí, eso. ¿Lo atrapaste?"

RUBÉN: "Lo siento, se escapó. Se ha metido en el jardín de los López-Pereira".

Al señor Seco le caen mal los López-Pereira, y no puede evitar una sonrisa de satisfacción.

Tienes que ser muy bueno haciendo teatro para hacer una interpretación así. Tan bueno como Lara. Lo que Lara Guevara ha hecho es decir una mentira para proteger a Rubén de males mayores.

Es una de las principales reglas de Lara Guevara:
NUNCA ABANDONES A UN BUEN COMPAÑERO.

Puesto que está mal mentir para *meter* en problemas a alguien, tal vez sea correcto mentir para *sacar* a alguien de los problemas.

✦ ✦ ✦

Después de ver la tele, tengo que hacer los deberes
que nos ha puesto don Felipe, pero también me
doy cuenta de que no me he estado dedicando
a **devorar** *—leer con ímpetu—* el diccionario y me
voy quedar **desolada** *—tremendamente disgustada—*
si descubro que mi cerebro se ha quedado
desprovisto *—carente totalmente—* de nuevas palabras
para deletrear.

Así que decido ser más **disciplinada** *—tener mayor
control—* o de lo contrario durante el concurso me
voy a quedar pasmada como un **descerebrado**
—desprovisto de cerebro.

Total, que decido redactar mi historia para don
Felipe al mismo tiempo que intento centrarme
en la letra I. Lo que voy a hacer es incluir en
mi trabajo tantas palabras interesantes como
pueda con la I como inicial. Al instante, me
siento inspirada con la idea de inventar cosas
en mi imaginación y al mismo tiempo incluir
información de la vida diaria.

Así que escribo una historia sobre una chica con el
pelo muy rizado llamada Lola López, que es una

ingeniosa agente secreto, pese a estar en edad escolar. Llama tan poco la atención que parece invisible, porque vive en una casa normal con unos padres normales y tiene un hermano pequeño muy irritante de unos cinco años.

Tiene que compartir con él la habitación y esto representa un inconveniente, porque se inmiscuye en sus investigaciones.

Siempre le está buscando problemas y la incrimina y la hace aparecer culpable, incluso en asuntos en los que ella no está involucrada.

El abuelo de Lola tiene el carácter algo irritable y, en busca de intimidad, siempre se refugia en la habitación más pequeña de la casa, que es el cuarto de baño.

Lola tiene una hermana muy irresponsable, que se pasa el día hablando por teléfono con Francia. Tiene también un hermano mayor que trabaja en una tienda llamada El Repollo, donde se venden alimentos naturales. Nadie sospecharía que en el interior del establecimiento se oculta el cuartel general de los agentes secretos. El propietario de

la tienda, Claudio Ortega, también es un agente
secreto de incógnito.

La vida que lleva Lola López es muy interesante,
como cabría esperar.

Escribir me lleva mucho tiempo, porque tengo que
estar mirando palabras en el diccionario. Pero estoy
encantada con mi historia, creo que demuestro
tener una gran inventiva.

Aunque, por intentar poner tantas palabras con I,
tal vez haya quedado un poco **incoherente**
—*concebido de manera poco clara y en consecuencia difícil
de comprender.*

Me pregunto qué le parecerá a don Felipe.

A veces las cosas son **más fáciles** si **no dices** lo que piensas

Casi no me lo puedo creer. ¡Tengo el papel de Liesl!

La señorita Olga me lo comunicó todo como si hubiera sido idea suya. Me dijo: "He decidido que podrías interpretar el papel de Liesl Von Trapp, pero se acabaron las gamberradas. Cualquier falta en conducta por tu parte y te quedas fuera. ¿Has comprendido?".

Por supuesto, respondo: "Sí, señorita Olga", incluso sin estar de acuerdo con lo que ha dicho, y es injusto porque no he sido una gamberra, ni mi conducta ha sido mala.

Pero me viene a la cabeza la regla de Lara Guevara:

"NO DISCUTAS CON QUIEN TE VA A DAR LO QUE QUIERES, DÉJALE CREER QUE ES QUIEN CONTROLA LA SITUACIÓN."

Esto es algo que ni la misma Lara Guevara cumple a rajatabla. Ella es muy dada a discutir.

A la hora del recreo, don Braulio comenta que se siente agradablemente impresionado por el excelente trabajo de redacción de Carlitos en la clase de don Felipe y por su esfuerzo por mejorar su conducta, de modo que le devuelve el cargo de responsable de los efectos de sonido en la obra de teatro del colegio. Carlitos está encantado, en realidad no era cierto lo que dijo de que la obra le traía sin cuidado.

Deberá andarse con cuidado, porque la otra vez tuvo problemas al elegir los efectos de sonido que ponía en cada momento.

Me doy cuenta de que no me hace ningún comentario. De hecho no me dirige la palabra para nada.

Tenemos ensayo a mediodía. Es divertido, porque por fin tengo algo que decir. Y me lo sé todo de memoria.

Ahora es mi primo Noé quien va a interpretar el papel de Rolf, y me alegro y no me importa que me tome de la mano, ya que al menos sé que no se mete el dedo en la nariz, como Roberto.

Gracias a Dios el papel de Rolf no le ha tocado

a Roberto Copiota ni a Pepe Guasón. Roberto interviene en la obra y debo decir que no se parece en nada a lo que se supone que debería ser el capitán Von Trapp, aunque eso sí, canta muy bien. Cuando canta, su voz es mucho más agradable que cuando habla.

Todos tenemos que llevar nuestros respectivos atuendos al ensayo, por eso se llama ensayo general" ※.

Susanita Pardo se ha olvidado de su delantal de María y doña Encarna, la cocinera, tiene que prestarle uno con manchas de tarta de manzana. Cuando hace su aparición, Carlitos pone un efecto de sonido de viento que queda muy bien, porque se supone que la escena tiene lugar en la cima de una montaña.

Y cuando la señorita Olga entra en el escenario para decir a Alexandra Bustamante que deje de charlotear, Carlitos pone otro efecto de sonido ventoso muy diferente, que queda bastante grosero.

※ **Ensayo general** – Representación de la obra completa con nuestros vestidos y todo lo demás, pero sin público.

La señorita Olga dice: "¡Carlitos! ¿Qué sonido ha sido ése?".

Y Carlitos dice. "Lo siento, señorita Olga, se ha escapado por accidente".

Y la señorita Olga está tan sorprendida de escuchar a Carlitos disculparse que hasta se olvida de regañarle. Y aunque todo el mundo sabe que lo hizo a propósito para hacer una gracia, ha podido escapar de la bronca poniendo en práctica la regla de Lara Guevara que dice: **"A VECES TRAE MÁS CUENTA DECIR QUE LO SIENTES, AUNQUE NO SEA CIERTO"**.

Estoy encantada con mi traje. Me lo ha hecho Mamá y tiene bastantes volantes y me paso la mayor parte del tiempo haciendo giros. Todavía sigo esperando que llegue esta semana el pasador de Lara Guevara para el pelo, con su mosca. Pienso ponérmelo el día de la función. He decidido que Liesl es el tipo de chica que llevaría un pasador de Lara Guevara en el pelo. Czarina dice que es bueno que pongamos algo de nuestra propia personalidad en el personaje que estamos interpretando. Así que es mi idea de cómo sería Liesl.

Después de clase, junto al perchero, me choco
con Carlitos y le alcanzo su abrigo. Me echa una
especie de mirada y parece incluso que va a decir
algo, pero en ese momento llega Pepe Guasón y le
pega por detrás una colleja y empiezan a pelearse
por el suelo, así que me voy a buscar a Alba.

✳ ✳ ✳

Vamos Alba y yo de camino hacia el taller de
teatro y estamos muy nerviosas, porque sólo falta
una semana para la función del
colegio y espero que no se me
olvide mi papel y me quede
ahí parada igual que un limón.
Como un limón mudo.

Limón mudo

Czarina nos ha dicho que algunas veces la gente
olvida su papel, debido a los nervios.
Entonces aparece la señora Martínez, nuestra
estúpida vecina, que se aproxima a nosotras porque
ha visto que estamos compartiendo una bolsa
de golosinas. Le ofrezco una, pero la rechaza y
dice: "Eso hará que se os pudran los dientes, ya

lo sabéis", y yo me quedo con ganas de decirle que "Al menos, nosotras tenemos dientes que se puedan pudrir". Pero no lo hago, porque Mamá diría que "Eso es una grosería, y aunque la señora Martínez sea grosera con vosotras, no tenéis que poneros a su mismo nivel".

En el taller de teatro, Czarina nos dice que vamos a hacer algunas improvisaciones, que significa que estás actuando y, no importa qué te haya sucedido hoy, lo puedes utilizar para improvisar un drama. Alba y yo hacemos un drama sobre una vieja bruja que trata de robar a los niños sus dientes.

Czarina dice que está lleno de profundidad y que constituye una alegoría muy interesante de cómo los adultos echan a perder los sueños de los niños. No sé lo que significa la palabra alegoría y tampoco Alba. Pero cuando llega Tere para recogernos nos explica que "es como una historia que cuenta dos cosas distintas al mismo tiempo, una que se ve y otra que es un mensaje que subyace ligeramente camuflado".

Está claro que somos mucho más inteligentes de lo que pensábamos.

Es la clase de recurso que usaría Lara Guevara, una historia que pudiera decir en público, pero con un significado secreto que sólo Rubén Ríos podría comprender.

Le contamos a Tere que en el taller de teatro Czarina ha hablado sobre lo importante que es fijarse en cómo actúan los demás, porque es una manera de aprender el oficio.

Le digo a Tere que quizá vamos a tener que mirar mucho más la televisión, pero entonces ella dice: "Probablemente, lo que Czarina ha querido decir es que debéis observar cómo se comporta la gente en la vida diaria".

Posiblemente tenga razón, pero por si acaso, en cuanto llego a casa, enciendo la tele. Y están poniendo un episodio de Lara Guevara titulado

TE ESTÁ MIRANDO, CHICO.

Ya lo he visto, es un episodio antiguo. No es de los mejores.

Es ése en el que Lara Guevara descubre que el malvado Conde Von Vizconde ha conseguido unas gafas especiales con rayos X y se está dedicando a leer documentos secretos y el correo sin necesidad de abrir los sobres. Naturalmente, quiere dominar el mundo.

Aunque es de hace mucho tiempo, me tiene totaalmente clavada a la silla. Por desgracia, justo en el momento más interesante, Mamá dice: "Ana, cariño, ¿me haces el favor de bajar un momento a El Cogollo?".

Ha llamado Kevin Sánchez para decir a Mamá que se ha olvidado en la tienda la bolsa con las cosas que había comprado en la carnicería. Esto ha sucedido porque estaba distraída con Manu, que tenía una de sus rabietas, lo que según Mamá resultaba bastante embarazoso.

Así que le dijo: "La próxima vez que te comportes así, yo voy a hacer lo mismo. Ya veremos si te gusta". Y por cierto, la contestación a la pregunta de Mamá sería "no". Vamos, que no me apetece ir a El Cogollo y perderme mi programa favorito. Pero en realidad no se trata de una pregunta exactamente. Así que voy.

Por el camino, paso por delante del parque y veo al Abuelo y Cemento cuando Carlitos los está entrenando. La verdad es que ha conseguido que mejoren mucho y resulta sorprendente lo bien que se comportan los dos cuando se encuentran con él. Algo bueno le ha influido. Es como lo ocurrido entre Carlitos y don Felipe.

Cuando el Abuelo me ve, me saluda con la mano y Cemento ladra, pero sólo una vez, porque Carlitos le ha hecho una señal especial para que no ladre.

Espero a que Carlitos me haga, como siempre, su imitación de los andares de la señorita Olga.

Pero no la hace.

A veces te ves **haciendo** cosas que nunca habías *imaginado* que serías capaz de hacer

17

Al volver al colegio descubro que, por increíble que parezca, las obras han terminado y ya no están los obreros. Al fin voy a poder ir al patio de atrás y recuperar mi cuaderno de notas de Lara, que la otra semana se me cayó al otro lado del muro. Es un asunto que me tiene desquiciada, porque el cuaderno contiene todos mis secretos. Gracias a Dios, no ha llovido en todo este tiempo, porque si le llega a caer agua encima habría quedado hecho un asco. Y por suerte, tiene una cerradura para evitar que alguien pueda leer todas mis intimidades.

Doy la vuelta a la esquina y compruebo que han retirado todo el material de construcción y han terminado de arreglar lo que fuese que estaban

arreglando y puedo ver mi cuaderno de notas
de Lara, todavía en el mismo sitio donde cayó al
suelo. Pero también veo algo más.

Hay una gran pintada con enormes letras de
color rojo que ocupa toda la pared. Las letras son
realmente grandes y pone:

EL COLEGIO ES UNA CACA

y debajo también hay escrita una grosería sobre
la señorita Olga, que seguro que no le va a hacer
ninguna gracia.

Hay un detalle que me da qué pensar, y es que hay
una falta de ortografía. Quien haya sido, ha escrito
la palabra hipopótamo sin **H**.

Inmediatamente, ya sé quién ha sido. Está claro
que lo van a expulsar para siempre del colegio y

que se le han acabado las segundas oportunidades.
Porque esto es lo que llaman vandalismo
–*destrucción deliberada de las propiedades*, por ejemplo,
estropear algo totaaalmente a propósito..
Es algo muy serio y puedes tener problemas gordos
por esta causa, especialmente si escribes cosas
groseras sobre la señorita Olga.
Me quedo contemplando la pintada y pensando en
mi H secreta. Espero que la palabra hipopótamo
salga en el concurso de ortografía, todos
quedarán muy impresionados cuando vean que
yo sé deletrearla, porque hipopótamo tiene una
ortografía verdaderamente difícil.
Entonces descubro el spray de pintura. La lata ha
rodado debajo de uno de los bancos y al verla
comprendo el ruido parecido a un siseo, que
escuché cuando pasaba por detrás del colegio al
volver de casa de Alba. Me agacho y la recojo de
debajo del banco.
La lata está casi vacía. La agito un poco y sale un
poco de pintura roja que me mancha la mano y
entonces suena la campana y corro a clase para que
la señorita Olga no me regañe por llegar tarde.

Todo el mundo parlotea excitado, porque la función de teatro es la semana que viene y es emocionante y, aunque el martes tengamos el estúpido concurso-colmena de ortografía, después ya empiezan las vacaciones.

De pronto, todo el mundo vuelve la mirada hacia la puerta, que se ha abierto de golpe. La señorita Olga entra como un ciclón y nos mira con cara de echar rayos por los ojos. Luego, con ese tono de voz de un grave tan profundo que no parece humana, dice:

"Esta es la gota que DESBORDA el vaso de mi paciencia. Hasta aquí hemos llegado, MÁS ALLÁ de todos los límites. Y NO lo aguanto más. Este insulto es el último. Quiero saber de quién es este cuaderno de notas".

Y el cuaderno de notas que está enseñando con la mano en alto es un cuaderno de notas de Lara

Guevara. Me pregunto cómo es que la señorita Olga tiene un cuaderno de notas de Lara Guevara como el mío, con su cerradura y todo.

Y entonces me doy cuenta de que es *mi* cuaderno de notas de Lara Guevara. Creo que lo olvidé en el suelo cuando sonó el timbre para ir a clase.

Entonces la señorita Olga dice:

"Bien, si nadie sabe de QUIÉN es este cuaderno, quizás alguien sepa QUIÉN ha escrito esa desafortunada pintada en la parte de atrás del colegio".

Y está mirando a Carlitos y él le devuelve la mirada sin pestañear y con la boca apretada.

Y me está entrando pánico, porque no sucede nada y nadie dice nada. Y la cosa sigue así durante varios segundos, aunque a mí me parecen horas.

Y la señorita Olga dice:

"Parece que sea quien fuera el que hizo esa horrorosa pintada, ni siquiera sabe CÓMO SE ESCRIBE la palabra hipopótamo".

Y yo miro a Carlitos.

y él me mira a mí.

Y de pronto la señorita Olga se fija en mi mano
manchada de pintura roja,

que claramente llama la atención,

y entonces me oigo decir con un hilo de voz:

"He sido yo".

Y entonces la señorita golpea con mi cuaderno
de notas de Lara Guevara sobre la superficie de su
mesa y dice:

"Ya veo, Ana Tarambana,

que te han pillado

como si tuvieras la mano manchada de pintura".

Y yo me miro la mano y es verdad, está manchada
de pintura, toda roja. Cualquiera podría pensar que
he sido yo.

Y la señorita Olga dice:

"Tengo que reconocer que
ESTOY sorprendida.
Era más fácil creer que
esa pintada desafortunada
era cosa de Carlitos Terremoto.

Sin embargo, NO me sorprende que no sepas cómo se escribe la palabra HIPOPÓTAMO".

Puedo ver de reojo que a Carlitos se le han puesto los ojos grandes como platos y que está intentando llamar mi atención, pero yo no le miro.

Y la señorita Olga dice:

"DE ACUERDO, señorita, ya puedes estar segura de que tus padres se van a enterar de esto y ya te puedes olvidar de interpretar el papel de Liesl en la obra de teatro del colegio. De hecho, te puedes OLVIDAR TOTALMENTE de la obra de teatro del colegio".

Tenía que pasar. Si te confiesas culpable de un delito que no has cometido, también tienes que esperar que tu vida se vaya a paseo. Porque se supone que eso es lo que ocurre.

❀ ❀ ❀

Por supuesto, la señorita Olga me manda directamente al despacho de don Braulio, para que dé explicaciones, cosa que no puedo hacer porque no tengo ni idea de por qué haría yo una cosa así, puesto que no lo he hecho. Mi silencio disgusta todavía más a don Braulio.

Me dice: "¿De verdad odias el colegio?".

Me hace sentir mal, porque parece triste, pero lo único que hago es encogerme de hombros.

Me dice: "Creía que teníamos confianza para que vinieras aquí a contarme cualquier problema".

Permanezco en silencio.

Y me dice: "Estoy muy disgustado contigo, Ana Tarambana. No está bien escribir cosas desagradables de la gente y no esta bien pintar graffitis en el colegio, cuando hay gente que se esfuerza por mantenerlo limpio y bonito".

Luego agita su cabeza y dice: "He llamado a tus padres y te vas a ir directa a tu casa. No tengo nada más que decir".

Ni siquiera me mira para despedirse o decirme otra cosa. Simplemente, se pone a revisar varios papeles. Y, claro, a mí me gustaría poder decir: "Pero si no he sido yo, don Braulio". Si lo hiciera, quién sabe lo que le podría pasar a Carlitos. Ahora que le van bien las cosas, sería terrible para él que lo expulsaran.

Así que cierro la boca, como siempre me ha dicho todo el mundo que haga.

Tan sólo me hubiera gustado tenerla cerrada hace media hora. Pero es como siempre dice Lara Guevara: "Algunas cosas las haces tan sólo porque sientes que tienes que hacerlas".

Pienso en todo esto mientras me dispongo a marcharme del colegio. Voy un momento a la parte de atrás y vuelvo a recoger la lata de spray y lo cierto es que no sé por qué lo hago, pero no puedo evitarlo: le pongo una **H** a la palabra Hipopótamo. Luego lo miro y me alegro de saber escribir esta palabra.

Por lo menos, hay una palabra que sé escribir correctamente.

Es como eso que dice Lara Guevara:

"A veces necesitas estar segura de que hay algo que haces bien".

❉ ❉ ❉

Vuelvo a casa y Papá y Mamá me están esperando, en silencio. No me gusta cuando están así de silenciosos, porque significa que están muy enfadados, no sólo un poquito enfadados, sino enfadadísimos. Es todavía peor, porque Mamá además está disgustada y preocupada.

Lo sé porque lo lleva escrito en la cara.

Me dice: "Ana, no está nada bien eso que has hecho".

Papá no dice nada.

Mamá dice: "¿En qué estabas pensando?".

Subo y bajo los hombros, porque de veras no lo sé.

Mamá dice: "Estoy esperando una explicación".

Pero a mí no se me ocurre ninguna.

Entonces añade: "Más bien me parece la clásica gamberrada de Carlitos".

Me siento avergonzada, porque como ya he dicho, es como si ella fuera capaz de leerme el pensamiento. En cualquier momento va a decir que no he dicho la verdad.

Sin embargo, no lo dice.

Debe de ser porque me he hecho tan buena intérprete que puedo simular culpabilidad y parecer capaz de hacer pintadas tan bien, que puedo engañarla incluso a ella.

Tan sólo dice: "Tu padre y yo pensábamos ir a verte a la función del colegio. Sé cuánto deseabas actuar y has desperdiciado la oportunidad".

Yo no digo nada porque, como dice Lara Guevara: "En algunas ocasiones sabes perfectamente cuándo tienes que tener la boca cerrada".

Algunas veces debes dejar que las personas estén de mal humor, hasta que dejen de estar de mal humor

Como castigo, voy a perder la última semana del curso. Al día siguiente debo volver al colegio para recoger mis cosas antes de que empiecen las vacaciones de verano. Mamá viene conmigo, pero se queda a esperarme en el patio. No quiero que entre conmigo.

La primera persona con la que me tropiezo es Roberto Copiota, que me dice: "Hola, Ana Tarambana, que lástima lo que ha pasado y que no te permitan participar en SONRISAS Y LÁGRIMAS, porque tenías uno de los papeles principales y me parece que lo hacías muy bien, y además va a ser una representación estupenda".

Yo le digo: "No lo creo, Roberto Copiota.

SONRISAS Y LÁGRIMAS es una obra verdaderamente lacrimógena".

No quiero que me vea fastidiada porque me he quedado sin poder hacer lo que más deseaba. Al menos, no tendré que participar tampoco en el estúpido concurso-colmena de ortografía.

No puedo dejar de pensar que tiene su gracia que la única palabra difícil que sé escribir como es debido, es la que me ha causado problemas.

Porque si no hubiera sabido deletrear la palabra *hipopótamo*, no habría sabido que Carlitos *no sabía* hacerlo.

Y entonces nunca hubiera sabido quién pintó la valla.

Y si no hubiera sabido que era Carlitos al que iban a expulsar, no habría dado la cara por él.

Y si no hubiera dado la cara por él, no me encontraría en esta desagradable situación.

Todo lo cual confirma lo que siempre había sospechado: que la ortografía sólo sirve para causar problemas de todo tipo a la gente.

Tengo que ir a que la señorita Olga me entregue mis deberes para el verano y no me pone una cara muy simpática que digamos. Es decir, como siempre.

Luego voy a despedirme de don Felipe. Va a regresar a Trinidad. Está sentado en su mesa, leyendo algo. Levanta la vista y dice: "Hola, AT, ¿cómo te va?".

Lo dice como si nada hubiera ocurrido.

Yo le contesto: "Pues ya sabe... tirando" y me encojo de hombros, porque las cosas ni siquiera van tirando.

Y él dice: "Sí, ya sé". Luego añade: "Bueno, lo que tenía que decirte es que he leído tu historia y creo que está muy bien, describes perfectamente a los personajes, casi como si hubieras tomado apuntes de su forma de hablar. Considero que algún día puedes llegar a ser una excelente escritora".

Yo le digo: "Pero, don Felipe, si no sé ni como se escribe excelente. ¿Cómo se puede ser una *excelente* escritora si no sé *deletrear* excelente?".

Y don Felipe dice: "No es la ortografía lo que te convierte en escritora, lo que cuenta es tener algo importante que decir, y sabes que eres una persona

que siempre tienes cosas interesantes que contar.
Y además, AT, todo lo que has estudiado ha
servido para que ahora tengas un estupendo
vocabulario".

Luego me da una palmada en la espalda y me dice:
"Todo esto pasará. Ahora procura disfrutar de las
vacaciones de verano".

Yo le digo: "Don Felipe, creo que es usted un
profesor estupendo y Alba Blanco también piensa
lo mismo y he disfrutado con sus clases y he
aprendido un montón de cosas y que pase usted
también unas buenas vacaciones".

Y él dice: "Eso significa mucho para mí, AT, y
me parece superchachipirulístico por tu parte
que lo hayas dicho".

Nos decimos adiós y me voy a sacar mis cosas de
la taquilla. Cuando llego allí, me está esperando
Carlitos Terremoto. Le digo: "Deberías estar en
clase, a ver si ahora lo fastidias todo".

Se encoge de hombros y dice: "Gracias por no
chivarte. Y perdona por haberme portado así
contigo y por decir que ya no te quería como
amiga".

Y yo le digo: "¡Bah! Olvídalo chico", porque sé que es lo que diría Lara Guevara.

Entonces se va corriendo por el pasillo, imitando la forma de trotar de la señorita, y entra en la clase y luego ya no está.

Yo cierro mi taquilla y me marcho también.

Estoy castigada y durante una semana no puedo ver a Alba, pero Mamá me deja hablar con ella por teléfono. Más tarde, la llamo y me cuenta que Vanesa García ganó el concurso de ortografía. Cree que le pusieron las palabras más fáciles y la dejaron ganar, por aquello de que está usando muletas.

Yo digo: "No me sorprendería".

Alba dice: "Era evidente que Carlitos Terremoto podía haber ganado, porque sabía deletrear onomatopeya✼ y vaya usted a saber cómo demonios se escribe eso".

Yo digo: "Suena como si fuera una especie de gusano...".

✼ **Onomatopeya** - (se pronuncia igual que se escribe) es una palabra que imita el sonido de lo que significa. Por ejemplo: paf, zas, ring, clic.

Entonces Alba dice: "Por cierto, ya sé
que tú no lo hiciste, Ana Tarambana. Fue
estupendo por tu parte que no te chivaras de
Carlitos. Dice que hasta ahora nadie había
dado nunca la cara por él".

Al trote

Yo digo: "Lara Guevara nunca hubiera acusado a
Rubén Ríos. Yo sólo hice lo mismo que habría
hecho Lara".

Y Alba dice: "Tienes razón, AT".

Algunas cosas resultan **difíciles** de creer, incluso siendo **totaaalmente reales**

Como oficialmente estoy en estado de desgracia, tampoco se me permite ver la función de teatro del colegio. Tengo que estar confinada en casa y meditar lo que he hecho y nada de pasarlo bien. Mamá se siente un poco apenada por mí. Papá se siente un poco apenado por él, porque había pensado escaparse del trabajo para ir a verme actuar, pero ahora no tiene excusa para escaparse del trabajo.

Una cosa que ha sucedido hoy es que por fin ha llegado mi pasador de Lara Guevara para el pelo, con su hermoso moscardón. Me encanta. Ha merecido la pena pagar 2,95€ más seis cupones de espaguetis. Pero no es suficiente para que me sienta mejor. De todas maneras, me lo pongo en el pelo.

Entonces Mamá llama a la puerta de mi habitación y dice: "Ha llamado Gus y pregunta si podrías ir a El Cogollo y llevarle su camiseta de recambio".

Me extraña que Gus me pida que vaya y además es raro, porque hoy no le toca trabajar en la tienda, pero me alegro de que Mamá me deje salir. Así que le pregunto si de paso me podría tomar algún zumo de hierbas, nada que sea demasiado exquisito.

Ella me dice: "Bueno, ya has estado castigada bastante tiempo. Aprovecha y tómate un sorbete natural".

¡Me da dos euros! Probablemente tomaré un sorbete de frambuesa, o tal vez de plátano, estoy harta del mango.

Bajo por la calle meditando, mientras miro la acera. Pienso en todos los chicles que hay pegados al cemento y que ya nunca se despegarán y que es una lástima que la gente no los tire a las papeleras, porque si lo hicieran todo estaría más bonito y, además, las papeleras están para eso.

Me pregunto qué les parecerá a todas las hormigas que viven dentro de las grietas y qué opinarán de los chicles.

Me acuerdo de todo lo del colegio y me imagino que ahora mismo estará a punto de empezar la función de teatro, en la que yo iba a participar y tenía uno de los papeles protagonistas y ahora nunca podrá descubrirme uno de esos cazatalentos y nunca seré una chica estrella como Skyler Summer. No podré ser una estrella de la televisión. Voy reflexionando sobre todas estas cosas sin levantar la vista de la acera y, cuando quiero darme cuenta, ya he llegado a El Cogollo.

Qué raro, hay un montón de gente de pie delante de la puerta y muchas luces y cables y vehículos.

Veo a Kevin Sánchez junto a mi hermano y Sara, me las arreglo para acercarme a ellos y les pregunto: "¿Qué está pasando?".

Casi no puedo creer lo que me dice Kevin: "Estamos rodando una película".

Y aunque Kevin lo dice con voz de estar de broma, resulta que es la pura verdad. Un auténtico equipo de rodaje ha venido aquí, a la calle del Olmo. Han venido desde HOLLYWOOD.

Yo pregunto: "¿Qué tipo de película están rodando?".

Y Kevin va a decírmelo, cuando una voz dice
detrás de mí:

**"Hola, muchachita. ¿Eres
admiradora de Lara Guevara?"**

Y yo digo: "¿Cómo lo sabe?".

Y el hombre señala mi pasador del pelo y dice:

"Una cuestión de imagen, muchachita".

Y digo: "¿Cómo lo sabes?", con el mismo tono
que habría empleado Lara Guevara para dirigirse a
Pérez, porque ¿con quién estoy hablando? ¡Con el
mismísimo, único y auténtico Pérez!

Bueno, ya sé que no es el Pérez de verdad, sino
George Conway, el actor que interpreta este
personaje.

Yo digo: "¡Uao! Van a filmar aquí, en la calle del
Olmo, escenas de la película de Lara Guevara.
Vivo en esta calle y mi hermano trabaja en esta
tienda, El Cogollo, y vengo aquí a menudo. ¡Uao!
¡No puedo creerlo!".

Y es como si no pudiera parar de hablar, como
en el episodio de Lara Guevara en que Rubén
Ríos bebe accidentalmente un suero de la verdad
y la lengua se le dispara y no puede parar de

decir cosas. Eso mismo me pasa, estoy hablando a chorros y atropelladamente.

Entonces uno de los del equipo de rodaje se acerca a Gus y dice:

"Hola, esta chica es esa hermana tuya de la que nos habías hablado?

Es justo lo que estábamos buscando, una chica que entra en la tienda.

¿Te gusta actuar?".

Yo digo: "¿Qué?".

Entonces George Conway me dice:

"Chica, ¿quieres salir en la película?"

La sorpresa y la emoción me dejan sin palabras. La única vez que necesito decir algo y estoy paralizada sin poder abrir la boca.

Pero mi hermano Gus contesta por mí: "Pues claro que quiere salir en la película".

Miro a Gus y me guiña un ojo. Y los del equipo de rodaje de Hollywood dicen: **"super"**.

Entonces me maquillan en una caravana que se llama trailer y no tengo que ponerme vestidos ni atuendos especiales, porque se supone que mi papel es ser una persona de la vida real.

Y entonces llega la mismísima Skyler Summer y la maquilladora empieza a cepillarle el pelo como loca y no me extraña que tenga esa melena tan perfecta, que sería imposible si alguien no la cepillara continuamente.

Entonces Skyler Summer dice:

"Oh, cielos, he perdido mi pasador del pelo".

Y todos buscan el pasador del pelo de Lara Guevara, sin resultado.

Entonces yo digo: "Puedes utilizar mi pasador", y Skyler Summer me dice:

"¡Oh!, ¡gracias, millones de gracias".

Y yo digo: "No problem", y es verdad que no me importa porque ya no voy a lucir el pasador en la función de teatro del colegio y, en cambio, la estrella de cine que interpreta a Lara Guevara va a llevar mi pasador de pelo en la película.

Esto significa que otra vez voy a tener que empezar a comer espaguetis.

Cuando salgo del trailer, la gente del equipo me dice lo que tengo que hacer. Y uno de ellos grita:

"ESCENA 6, TOMA PRIMERA, ACCIÓN"

Tengo que entrar en la tienda, hacer como que compro un sorbete de fruta natural y salir otra vez, y entonces el actor que hace de Pérez me alcanza, me arrebata el sorbete y lo lanza deslizándose por la acera, y entonces el actor que hace de Dédalus debe pisarlo y resbalar y entonces Skyler Summer, ya como Lara Guevara, baja del coche y se sienta encima del villano para que no pueda levantarse y escapar.

Luego dice: "Parece que esta vez sí que has patinado de verdad, mi viejo amigo Dédalus".

Después se vuelve a mí, señala el pasador de la mosca y, hablando todavía como Lara, me dice: "Muchísimas gracias, muchachita".

Y entonces el hombre del equipo de rodaje grita:

Ya ves, todo lo que tenía que hacer era poner cara de sorpresa, esto es, una reacción. Y sabía hacerlo, porque Czarina nos enseñó en el taller de teatro, así que aunque es algo difícil de hacer, para mí es fácil porque he practicado.

Cuando he acabado, George Conway me besa y me abraza y me dice:

"Buen trabajo, jovencita".

Que es exactamente lo que hubiera dicho Pérez.

Quizá no lo creáis, pero ocurrió todo de verdad.
Hay días que suceden cosas de lo más extrañas. Te

crees que bajas a comprar un sorbete y te encuentras
hablando con la mismísima Lara Guevara.
Y es que hay cosas difíciles de explicar.
A veces, las cosas que van mal también pueden ir bien.
Y a veces la mala suerte se vuelve buena.

Lauren Child

jamás tuvo problemas durante su vida escolar. Y si los tuvo, fue por motivos justificados. Además, casi nunca era culpa suya. Su segundo nombre no es Líos, sino Margot.

Lauren opina que la ortografía no es tan importante, si la comparamos con otras cosas que verdaderamente lo son.
(La ortografía no es su punto fuerte.)

Sin embargo, Lauren ha escrito un montón de libros superestupendos y algunos de ellos han recibido premios. Así que su ortografía no puede ser tan mala.

Todo sobre mí, Ana Tarambana
PREMIO LITERARY ASSOCIATION WOW
PREMIO RED HOUSE CHILDREN'S BOOK

Ana Tarambana, me llaman
PREMIO SMARTIES
RECOMENDADÍSIMA PARA LA MEDALLA
KATE GREENAWAY

¿En qué mundo vives, Ana Tarambana?
PREMIO SMARTIES

Irvin L. Young Memorial Library
431 West Center Street
Whitewater, WI 53190